vive le
congélateur!

trucs et recettes
pour tout congeler

vive le congélateur!

trucs et recettes pour tout congeler

Ghillie James

Photographies : Tara Fisher

Traduit de l'anglais par Isabelle Allard

Guy Saint-Jean
ÉDITEUR

Pour Eva, Alice, Charlie, Leo, Florence et Isla. Avec toute mon affection.

Catalogage avant publication de Bibliothèque et Archives nationales du Québec et Bibliothèque et Archives Canada

James, Ghillie

    Vive le congélateur! : trucs et recettes pour tout congeler

    Traduction de : Fresh from the freezer.

    Comprend un index.

    ISBN 978-2-89455-482-1

    1. Aliments congelés. 2. Cuisine (Aliments congelés). 3. Cuisine rapide. I. Titre.

TX610.G4414 2012   641.4'53   C2011-941996-3

Nous reconnaissons l'aide financière du gouvernement du Canada par l'entremise du Fonds du livre du Canada (FLC) ainsi que celle de la SODEC pour nos activités d'édition.

Gouvernement du Québec – Programme de crédit d'impôt pour l'édition de livres – Gestion SODEC

Publié originalement en Grande-Bretagne en 2011 sous le titre *Fresh from the freezer* par Kyle Books, 23 Howland Street, Londres, W1T 4AY, www.kylebooks.com

© 2011 Ghillie James pour le texte

© 2011 Tara Fisher pour les photos

© 2011 Kyle Books pour la conception graphique

Édition : Catharine Robertson

Graphisme : Lizzie Ballantyne

Photographies : Tara Fisher

Stylisme culinaire : Debbie Miller

Accessoires : Liz Belton

Révision : Anne Newman

Production : Gemma John, Nic Jones et Sheila Smith

© Pour l'édition en langue française Guy Saint-Jean Éditeur Inc., 2012

Infographie : Olivier Lasser et Amélie Barrette

Conception de la couverture : Christiane Séguin

Traduction : Isabelle Allard

Révision : Jeanne Lacroix

Dépôt légal — Bibliothèque et Archives nationales du Québec, Bibliothèque et Archives Canada, 2011

ISBN 978-2-89455-482-1

Distribution et diffusion

Amérique : Prologue

France : De Borée/Distribution du Nouveau Monde (pour la littérature)

Belgique : La Caravelle S.A.

Suisse : Transat S.A.

Guy Saint-Jean Éditeur inc., 3440, boul. Industriel, Laval (Québec) Canada, H7L 4R9. 450 663-1777.

Courriel : info@saint-jeanediteur.com • Web : www.saint-jeanediteur.com

Guy Saint-Jean Éditeur France, 30-32, rue de Lappe, 75011 Paris, France. (9) 50 76 40 28. Courriel : gsj.editeur@free.fr

Imprimé en Chine

Table des matières

Introduction ··· **6**

Recettes de base ··· **16**

Soupes, entrées et hors-d'œuvre ··· **40**

Viandes et poissons congelés ··· **64**

Plats préparés à l'avance ··· **78**

Collations ··· **100**

Desserts ··· **120**

Pour les tout-petits ··· **150**

Tableau de conversion ··· **170**

Index ··· **171**

Remerciements··· **175**

Introduction

La congélation a beaucoup évolué ces dernières années. Les bâtonnets de poisson pané et les pâtés au poulet peu appétissants ont fait place aux soufflés, risottos et aubergines grillées. Pour moi, la section des surgelés du supermarché avait toujours répondu à des besoins pratiques pour les jours où je n'avais pas le temps de cuisiner. Mais maintenant, je me surprends à lorgner les canapés et tartelettes, les pétoncles et les petits fruits. La seule chose qui me retient, ce sont les cordons de ma bourse.

Toutefois, la congélation à la maison a-t-elle évolué de la même façon ? Transformons-nous les petits fruits de saison en crème glacée ? Préparons-nous et congelons-nous un chaudron de soupe aux tomates fraîches lorsqu'elles abondent ? Pourquoi ne pas préparer un tagine d'agneau à l'avance, avec un assortiment de vodkas congelées ? Il ne restera qu'à les sortir lorsque des amis arriveront à l'improviste. Pour les familles qui manquent de temps, veulent s'alimenter sainement et sont soucieuses de leur budget, c'est le congélateur, et non le réfrigérateur, qui devrait être leur meilleur allié dans la cuisine.

Les aliments congelés ne sont pas nécessairement ennuyeux, bourratifs ou insipides. Videz votre congélateur, dégelez-le, puis remplissez-le de délicieuses sauces maison, de crème glacée, de canapés et de desserts apprêtés à l'avance pour le temps des fêtes, de pâte à biscuits prête à cuire ou de pizzas maison prêtes à garnir afin d'amuser les enfants par un dimanche pluvieux.

Le congélateur est l'appareil électroménager le plus important pour quiconque souhaite économiser. Vous pouvez préparer une double quantité quand les aliments sont abordables ou en saison, acheter des produits en solde et, encore plus important, congeler les restes plutôt que de les jeter : il existe de multiples façons de les réutiliser.

Le congélateur devrait aussi être le meilleur ami des nouvelles mamans. Les aliments pour bébés biologiques maintenant offerts sont extrêmement nutritifs... et chers. Je les utilise moi-même lorsque nous partons pour quelques jours ou en vacances afin de satisfaire les besoins parfois impératifs de ma fille d'un an. Cependant, je ne pourrais justifier leur utilisation quotidienne, et je n'ai pas le temps de cuisiner des repas individuels qui exigent une heure de préparation, pour ensuite en remplir des petits pots. Après la naissance de mon deuxième enfant, j'ai trouvé une façon rapide et facile de préparer des purées pour bébés, selon moi encore plus nutritives, ainsi que des plats pour les bambins qui plairont aussi aux parents. Et pas seulement des pâtes gratinées!

J'espère que ce livre vous inspirera, vous fournira des conseils utiles et vous aidera à tirer le meilleur parti possible des fruits et légumes. Je souhaite également qu'il allégera un peu votre quotidien, comme cela est le cas pour la mienne.

Dix bonnes raisons de congeler

1. Profitez des soldes pour acheter de grandes quantités de viande, puis utilisez-la au moment où vous en avez besoin.

2. Préparez et congelez les fruits et légumes locaux en saison. Vous pourrez savourer vos aliments préférés sans devoir payer pour le transport.

3. Prenez de l'avance et préparez-vous à recevoir, en évitant le travail de dernière minute.

4. Utilisez la moitié d'un sac de denrées et congelez le reste. La congélation est idéale lorsqu'on cuisine pour une seule personne ou qu'on doit s'efforcer de satisfaire des palais difficiles.

5. La congélation est un excellent moyen de conservation qui vous permet de consommer vos aliments favoris à l'état naturel, plutôt qu'en conserve.

6. Les fruits et légumes congelés contiennent souvent plus de vitamines et de minéraux que ceux qui sont frais, car on peut les congeler avant qu'ils n'aient eu le temps de s'altérer. Par exemple, les petits pois congelés renferment jusqu'à 40 pour cent plus de vitamine C que les petits pois frais ayant passé deux jours au réfrigérateur.

7. Nul besoin de jeter les restes : économisez du temps et de l'argent en les congelant (voir page 13 pour des suggestions).

8. Épargnez du temps en cuisinant avec des ingrédients directement sortis du congélateur au lieu de faire des courses en revenant du travail.

9. Préparez des recettes en grandes quantités ; vous aurez des repas vite prêts lorsque vous êtes pressés.

10. Nourrissez les bébés et les bambins en congelant des cubes et des petits pots qui ne prendront que quelques minutes à réchauffer.

Symboles :

(C) Congélation

(D) Décongélation

(R) Réchauffage

(M) Mode de cuisson

(S) Service

Les règles d'or de la congélation

....

Congelez toujours les aliments les plus frais possible et les plats préparés le plus rapidement possible. Évitez de congeler quelque chose qui commence à être moins frais. Cela n'aura pas bon goût une fois dégelé et réchauffé !

....

Ne recongelez jamais un aliment dans le même état que lorsque vous l'avez dégelé, qu'il soit cru ou cuit. Par exemple, si vous dégelez une viande crue, vous devez la faire cuire avant de la recongeler. Si vous dégelez un plat cuit, vous ne pouvez pas le faire congeler de nouveau.

....

Enveloppez toujours les aliments dans une double couche de papier aluminium, un sac de congélation ou un contenant avec couvercle. Cela les protégera, conservera leur saveur et préviendra les brûlures de congélation.

....

Lorsque vous congelez des liquides, laissez un peu d'espace dans le haut du contenant ou du sac en prévision de leur dilatation.

....

Congelez la nourriture le plus rapidement possible, en utilisant le bouton de congélation rapide si votre congélateur en est muni.

....

Ne remplissez pas trop le congélateur pour ne pas nuire à son efficacité.

....

Faites refroidir rapidement les aliments cuits, et congelez-les seulement lorsqu'ils sont froids.

....

Conformez-vous aux périodes de conservation recommandées (voir page 12).

....

Faites congeler les aliments « humides », sans les couvrir, en les disposant sur un plateau en une seule couche, pour les empêcher de s'agglutiner ou de s'abîmer. Une fois gelés, mettez-les dans un sac ou un contenant en plastique.

....

Conservation et décongélation

Je n'ai pas l'intention de vous dire quel type de congélateuar il est préférable d'acheter, car pour être honnête, je n'en ai pas la moindre idée ! Cependant, j'ai fait des recherches sur les plus récents types de contenants, sacs et étiquettes efficaces pour que les aliments demeurent dans un état optimal et occupent le moins d'espace possible.

Il n'y a rien de plus désagréable que de sortir un gâteau ou un ragoût du congélateur et de s'apercevoir qu'ils ont été endommagés par l'air froid et ont subi des brûlures de congélation (plaques desséchées sur la nourriture). Bien envelopper les aliments et les ranger soigneusement accroît leur durée de conservation au congélateur. Il vaut donc la peine de se procurer des contenants de bonne qualité, et surtout, des étiquettes et un marqueur indélébile conçu pour la congélation.

Contenants et sacs

Assurez-vous que les couvercles ferment bien et n'oubliez pas que les contenants de même forme sont faciles à empiler et économisent de l'espace. Si vous vous procurez des contenants spécifiquement conçus pour la congélation, vérifiez s'ils vont au lave-vaisselle et au micro-ondes. J'utilise des contenants de plastique pour congeler les pâtés à la viande, les gâteaux, la meringue et tout autre aliment qui s'endommage facilement en cas de heurt. Je congèle également de petites quantités de sauce ou de compote de pommes dans des récipients de plastique, afin de les dégeler et les réchauffer directement au micro-ondes dans leur contenant.

On trouve d'excellents sacs sur le marché, certains munis d'une fermeture à glissière : on peut y prélever une petite quantité, puis les refermer aussitôt. C'est idéal pour les fruits, les légumes et la chapelure. Je recommande également d'acheter des sacs de congélation à soufflet, expressément conçus pour les soupes et les sauces. On peut les placer debout et ils sont pourvus d'une fermeture à glissière étanche pour éviter les renversements. Utilisez-les au lieu de contenants de plastique pour conserver les liquides, afin d'économiser de l'espace.

Étiquetage

Procurez-vous des étiquettes solides, destinées à la congélation afin d'éviter de devoir deviner ce que contient le contenant à l'étiquette décollée au fond du congélateur ! Identifiez les sacs avant de les remplir à l'aide d'un marqueur pour congélation en indiquant le nom du plat, le nombre de portions, la date de préparation et, si nécessaire, la date limite de consommation.

La décongélation

Les temps de décongélation dépendent de la quantité de nourriture et du type de contenant utilisé — les aliments congelés dans un récipient en métal épais mettent plus de temps à dégeler que ceux rangés dans des contenants de plastique ou de verre. Mes suggestions ne serviront donc qu'à vous guider.

L'endroit le plus sûr pour décongeler de la nourriture est toujours le réfrigérateur. Toutefois, certains grands contenants peuvent mettre deux jours à dégeler au réfrigérateur. Vous pouvez donc en amorcer la décongélation dans un endroit frais durant quelques heures avant de les remettre au réfrigérateur pour qu'ils finissent de dégeler au froid. Ne laissez cependant pas des plats dégeler près d'une fenêtre en plein été, surtout s'ils contiennent de la viande, du poisson, des produits laitiers ou des œufs ! Vous pouvez aussi utiliser le micro-ondes pour décongeler et réchauffer les aliments, en vous assurant qu'ils sont très chauds et que vous les consommez aussitôt.

La cuisson d'aliments congelés

Les agences de santé publique conseillent de se conformer aux indications des fabricants pour la conservation et la cuisson de leurs mets. Les préparations commerciales à cuire surgelées font l'objet de tests approfondis. Lorsqu'on fait cuire de la volaille, de la viande hachée (bœuf, saucisses) ou des rôtis, il est important de s'assurer que le centre de la pièce de viande a atteint 70 °C (160 °F) et s'y maintient durant au moins 2 minutes. Vous devez également vérifier, en pratiquant une entaille, qu'il n'y a plus de teinte rosée et que le jus est clair. N'oubliez pas qu'il faut plus de temps pour réchauffer la nourriture congelée que celle ayant été dégelée au préalable.

La congélation et la recongélation

La nourriture ne doit pas être recongelée après avoir été dégelée si elle n'a pas été cuite entre-temps. Car si la décongélation n'est pas effectuée avec les précautions nécessaires, des bactéries potentiellement nuisibles peuvent se multiplier. La recongélation de la viande ne permet pas d'éliminer ces bactéries, et elles pourraient se multiplier encore plus lors de la décongélation. Bien que la cuisson détruise les bactéries nuisibles, la présence de bactéries nuisibles dans la viande crue qui a été congelée à plusieurs reprises accroît le risque de contamination dans la cuisine. Il est donc recommandé de ne pas congeler, dégeler et réchauffer la nourriture plus d'une fois. Vous pouvez aussi congeler et réchauffer un plat cuit contenant un ingrédient qui a été préalablement congelé ou cuit. Comme cet ingrédient cuira complètement avec le reste du plat, vous devriez pouvoir congeler et réchauffer ce dernier, mais pas plus d'une fois.

Durées de conservation

Voici une liste des durées de conservation maximales des aliments congelés. Étiquetez et datez les plats que vous mettez au congélateur. Si vous les conservez trop longtemps, ils perdront leur saveur. N'oubliez pas que la clé du succès est de bien emballer les aliments qu'on congèle (voir page 10).

Viandes et poissons crus
(Les gros morceaux se conservent plus longtemps.)

Agneau : 6-8 mois
Bacon : 3-4 mois
Bœuf : 8-12 mois
Canard : 6 mois
Crevettes et pétoncles : 3-4 mois
Gibier : 12 mois
Poisson blanc : 4 mois
Poisson fumé : 2 mois
Poisson gras : 2-3 mois
Porc : 4-6 mois
Poulet : 8-12 mois
Saucisses : 3-4 mois
Viande hachée : 3-4 mois

Aliments cuits

Beurre : 6 mois (il est préférable de le congeler non salé)
Biscuits : 4 mois
Bouillon : 6 mois
Crème : 3 mois
Crème glacée, sorbets et mousses : 2 mois
Crêpes : 2 mois
Fromages à pâte ferme : 6-8 mois
Fromages à pâte molle : 3 mois
Gâteaux : 3 mois
Meringue : 1 mois
Œufs crus (jaunes et blancs) : 12 mois
Pain : 3 mois
Pâtisseries : 3 mois
Purées pour bébés : 2 mois
Ragoûts, soupes et sauces : 3 mois
Tartes, tartelettes, quiches et pâtés à la viande : 3 mois
Viande cuite : 1-2 mois

Fruits et légumes

Asperges, blanchies : 12 mois — cuire congelées
Courge musquée, crue : 12 mois — congeler à découvert, puis mettre en sac ; cuire congelée
Frites : jusqu'à 18 mois
Fruits à noyau, en moitiés et dénoyautés : 12 mois ; entiers : 3 mois — cuire congelés
Haricots, blanchis : 6-8 mois — cuire congelés
Herbes fraîches : 4-6 mois
Maïs en épi : 6-8 mois — cuire congelé
Oranges amères : 6-8 mois
Petits fruits : 12 mois — congeler à découvert ; dégeler et utiliser, ou cuire congelés (réduire les fraises en purée avant de congeler
Pommes, pelées, évidées et tranchées : 4-6 mois — congeler les tranches à découvert, puis mettre dans un sac
Rhubarbe, crue et hachée : 12 mois — cuire congelée
Tomates, en moitiés : 6-8 mois — congeler à découvert, puis mettre dans un sac ; n'utiliser que pour la cuisson ou pour faire griller

Les meilleurs restes à congeler

Ces suggestions proviennent de ma famille et de mes amis, qui congèlent leurs restes avec succès depuis des années !

Blancs d'œufs : congeler dans de petits contenants ou des sacs (noter le nombre de blancs), puis dégeler et utiliser

Bouillon gélifié de poulet ou de dinde : retirer le gras et congeler en cubes, puis dégeler et ajouter aux sauces et aux ragoûts

Carcasse de poulet rôti : utiliser pour en faire un bouillon

Citrons, oranges et limes : trancher et congeler à découvert sur un plateau avant de mettre en sac

Crème (non légère) : indiquée pour les sauces mais non pour fouetter

Crème au beurre

Fromages à pâte ferme : peuvent devenir plus friables après la congélation ; utiliser émiettés dans des recettes ou râper avant de congeler, puis mettre dans un sac et utiliser congelés

Fromages à pâte molle, comme le brie ou le camembert

Herbes : hacher, puis congeler (les herbes qui s'abîment, comme le basilic et l'estragon, peuvent être hachées et congelées dans l'huile)

Jaunes d'œufs : congeler dans un bac à glaçons, saupoudrés de sel ou de sucre, puis dégeler et utiliser dans des recettes sucrées ou salées

Jus de fruits

Lait

Lasagne ou pâtes gratinées : congeler les restes en portions individuelles

Légumes cuits : utiliser dans une soupe ou un plat de légumes frits

Limonade

Pain : réduire le pain rassis en chapelure (voir page 23), congeler dans un sac et utiliser congelé

Pâte à crêpes ou à Petits soufflés chauds (pages 29 et 30) : congeler non cuite, dans de petits contenants

Pâtisseries

Pesto : congeler dans un bac à glaçons

Sauce barbecue maison

Sauces

Sauces pour pâtes ou au cari en bocal

Tomates en conserve

Viandes rôties : hacher ou couper en dés avant de congeler dans un sac, puis dégeler avant utilisation

Vin : congeler dans un bac à glaçons ou des petits contenants, ajouter aux sauces et aux ragoûts

Profiter au mieux des récoltes saisonnières

Achetez les fruits et les légumes en saison, quand ils sont goûteux et à meilleur prix, et entreposez-les pour les déguster durant les prochains mois. Voici une liste des recettes du livre qui les utilisent (à l'exception des purées du dernier chapitre).

Aubergine: 2
Brocoli: 5
Carottes: 7
Cassis: 4
Céleri: 9
Chou-fleur: 8
Concombre: 12
Courge musquée: 6
Courgettes: 11
Cresson: 25
Fenouil: 13
Fraises: 22
Framboises: 19

Groseilles rouges: 20
Maïs: 23
Mûres: 3
Petits pois: 15
Piment: 10
Poireaux: 14
Poires: 16
Poivrons: 17
Pommes: 1
Pommes de terre: 18
Rhubarbe: 21
Tomates: 24

1 • Pommes
Compote de pommes (p. 18)
Côtelettes de porc moutarde, pommes et cidre (p. 72)
Barres à l'avoine santé (p. 106)
Chaussons de Noël (p. 146)
Croustillants divers (p. 148)

2 • Aubergine
Moussaka aux lentilles (p. 91)

3 • Mûres
Tarte estivale à la frangipane (p. 144)
Croustillant mûres et pommes (p. 148)
Croustillant aux petits fruits (p. 148)

4 • Cassis
Crème glacée rouge et noire (p. 128)
Terrine rouge et noire (p. 130)
Flans aux fruits (p. 136)

5 • Brocoli
Brocoli et chou-fleur gratinés, jambon et tomates (p. 166)
Pâté de poisson aux légumes cachés (p. 169)

6 • Courge musquée
Velouté de courge musquée (p. 48)
Cari de poulet et courge musquée à la noix de coco (p. 66)

7 • Carottes
Soupe aux carottes, tomates, chorizo et coriandre (p. 43)
Velouté de courge musquée (p. 48)
Cassoulet de porc (p. 75)
Poitrine de porc avec fenouil et échalotes (p. 76)
Épaule d'agneau au four (p. 92)
Pâté chinois (hachis Parmentier) des grands jours (p. 93)

8 • Chou-fleur
Brocoli et chou-fleur gratinés, jambon et tomates (p. 166)

9 • Céleri
Soupe aux carottes, tomates, chorizo et coriandre (p. 43)
Soupe aux pois et au cresson (p. 46)
Épaule d'agneau au four (p. 92)
Pâté chinois (hachis Parmentier) (p. 93)
Bœuf braisé au vin rouge et champignons (p. 99)

10 • Piment
Pâte de cari verte thaïlandaise (p. 37)

11 • Courgettes
Soupe aux courgettes, poireaux et parmesan (p. 44)
Croquettes de courgettes et de maïs (p. 56)
Cassoulet de porc (p. 75)
Moussaka aux lentilles (p. 91)

12 • Concombre
Gaspacho (p. 47)

13 • Fenouil
Poitrine de porc avec fenouil et échalotes (p. 76)
Pommes de terre au fenouil et poireaux (p. 84)

14 • Poireaux
Soupe aux courgettes, poireaux et parmesan (p. 44)
Tartelettes aux poireaux et au stilton (p. 58)
Pommes de terre au fenouil et poireaux (p. 84)

15 • Petits pois
Soupe aux pois et au cresson (page 46)

16 • Poires
Chaussons de Noël (p. 146)

17 • Poivrons
Gaspacho (p. 47)
Ragoût de fruits de mer (p. 68)
Saucisses aux lentilles vertes (p. 74)

18 • Pommes de terre
Pommes de terre fenouil et poireaux (p. 84)
Moussaka aux lentilles (p. 91)
Pâté chinois (hachis Parmentier) (p. 93)
Pâté de poisson aux légumes (p. 169)

19 • Framboises
Muffins framboises et chocolat blanc (p. 119)
Pavlova aux grenades et framboises (p. 134)
Flans aux fruits (p. 136)
Tarte estivale à la frangipane (p. 144)
Croustillant aux petits fruits (p. 148)

20 • Groseilles rouges
Crème glacée rouge et noir (p. 128)
Terrine rouge et noir (p. 130)
Flans aux fruits (p. 136)

21 • Rhubarbe
Crème glacée croquante à la rhubarbe (p. 127)
Croustillant à la rhubarbe (p. 148)

22 • Fraises
Crème glacée fraises et meringue (p. 125)
Pavlova fraises et fruits de la passion (p. 135)
Flans aux fruits (p. 136)
Vodka aux fraises et à l'eau de rose (p. 137)
Croustillant aux petits fruits (p. 148)

23- Maïs
Soupe d'aiglefin fumé (p. 51)
Croquettes de courgettes et de maïs (p. 56)

24 • Tomates
Sauce tomates de base (p. 33)
Soupe aux carottes, tomates, chorizo
     et coriandre (p. 43)
Gaspacho (p. 47)
Feuilletés de crevettes au tamarin (p. 61)
Brocoli et chou-fleur gratinés,
     jambon et tomates (p. 166)

25 • Cresson
Soupe aux pois et au cresson (p. 46)
     Tourte au crabe, poisson fumé et cresson (p. 94)

Recettes de base

Compote de pommes

1,25 kg (2 ¾ lb) de pommes à cuire, pelées et évidées

Voici une recette de compote non sucrée qui peut être utilisée dans des plats sucrés ou salés. Il m'arrive souvent de la mélanger avec une boîte d'abricots en conserve et un peu de sucre pour préparer un croustillant à la dernière minute. Vous pouvez aussi la sucrer légèrement et l'ajouter à des oignons rissolés, de la sauge et un peu de crème afin d'obtenir un délicieux accompagnement pour le porc. Les temps de cuisson varient selon le micro-ondes, alors vous n'avez pas à les respecter à la lettre !

Donne 1 litre (4 tasses)

Trancher les pommes finement et les mettre dans une casserole. Ajouter un peu d'eau et cuire à feu doux, en remuant de temps à autre, jusqu'à ce que les pommes aient ramolli. Si on préfère, mettre les pommes dans un plat allant au micro-ondes et ajouter environ 1 cm (½ po) d'eau au fond. Couvrir avec un couvercle ou une pellicule plastique percée d'un petit trou pour la vapeur. Cuire à puissance élevée durant 8 minutes. Remuer et remettre au micro-ondes 4 minutes, jusqu'à ce que les pommes aient ramolli. Réduire en purée si l'on préfère une texture lisse, ou laisser telle quelle.

(C) Laisser refroidir, puis mettre en sacs ou dans des contenants, étiqueter et congeler.

(D) Faire décongeler 3 à 4 heures à la température ambiante ou dégeler au micro-ondes (fonction décongélation).

(R) Réchauffer dans une casserole à feu doux ou dans un bol au micro-ondes.

Coulis de chocolat noir

175 ml (¾ de tasse) de lait entier

2 c. à soupe de cacao

2 c. à soupe de mélasse claire de canne ou de sirop de maïs

50 g (¼ de tasse) de beurre, en dés

150 g (5 oz) de chocolat noir de bonne qualité, en morceaux

La crème glacée nappée de coulis de chocolat est un dessert réconfortant qui se prépare en un tour de main. Vous pouvez également servir cette sauce sur des poires pochées ou des crêpes, avec une cuillerée de crème.

Donne 400 ml (1 ⅝ tasse)

Mettre un peu de lait dans une casserole avec le cacao et mélanger pour obtenir une pâte. Ajouter le reste du lait et la mélasse, puis réchauffer jusqu'à ce que le mélange commence à frémir. Retirer du feu, laisser refroidir une minute, puis ajouter le beurre et le chocolat. Remuer pour faire fondre.

(**C**) Verser dans un contenant et laisser refroidir; couvrir, étiqueter et congeler.

(**D**) Mettre le contenant dans un bol d'eau chaude et remuer de temps à autre (environ 30 minutes), ou dégeler à la température ambiante.

(**R**) Mettre dans un bol résistant à la chaleur et réchauffer au-dessus d'une casserole d'eau frémissante, ou encore réchauffer avec précaution au micro-ondes.

Variante :

Coulis de chocolat au rhum – Incorporer 1 à 2 c. à soupe de rhum avant de congeler.

Coulis de chocolat blanc

300 ml (1 ¼ tasse) de crème 35 % M.G. ou de double-crème

300 g (10 oz) de chocolat blanc de bonne qualité

1 noix de beurre

Cette sauce chaude est parfaite pour napper les fruits des bois congelés.

Donne 400 ml (1 ⅝ tasse)

Mettre les ingrédients dans un bol à l'épreuve de la chaleur placé au-dessus d'une casserole d'eau frémissante. Remuer pour faire fondre le chocolat et le beurre.

(**C**) Verser dans un contenant et laisser refroidir; couvrir, étiqueter et congeler.

(**D**) Mettre le contenant dans un bol d'eau chaude et remuer de temps à autre (environ 30 minutes), ou dégeler à la température ambiante.

(**R**) Mettre dans un bol résistant à la chaleur et réchauffer au-dessus d'une casserole d'eau frémissante, ou encore réchauffer avec précaution au micro-ondes.

Sauce blanche

50 g (¼ de tasse) de beurre
50 g (½ tasse) de farine
600 ml (2 ⅓ tasses) de lait

Cette sauce est aussi savoureuse qu'une béchamel dans une lasagne ou un gratin de chou-fleur. Toutefois, si vous préférez l'apprêter de façon traditionnelle, utilisez les mêmes quantités, mais en faisant fondre le beurre avant d'incorporer la farine, puis le lait. Cette sauce est plutôt épaisse, mais vous pouvez ajouter davantage de lait si vous l'aimez plus claire.

Donne 700 ml (2 ¾ tasses)

Mettre tous les ingrédients dans une casserole sur feu doux et fouetter sans arrêt. Le beurre fondra graduellement et la sauce épaissira. Racler les côtés à l'aide d'une cuillère pour empêcher la formation de grumeaux. Porter à ébullition, assaisonner et laisser mijoter 2 minutes.

(C) Verser dans un contenant, couvrir la surface de pellicule plastique (pour empêcher la formation d'une peau) et laisser refroidir; retirer le plastique, couvrir, étiqueter et congeler.

(D) Dégeler à température ambiante (s'il ne fait pas trop chaud) durant 4 à 6 heures.

Variantes :

Sauce au fromage – Incorporer 75 g (3/4 tasse) de fromage râpé à la sauce pendant qu'elle mijote.

Sauce persillée – Faire d'abord fondre le beurre, puis ajouter 3 c. à soupe de persil haché. Poursuivre la cuisson environ une minute sur feu doux, puis ajouter la farine et incorporer graduellement le lait. Saler et poivrer, porter à ébullition et laisser mijoter 2 minutes.

Sauce aux champignons – Faire sauter 6 champignons hachés dans le beurre, ajouter la farine et incorporer graduellement le lait. Saler et poivrer, porter à ébullition et laisser mijoter 2 minutes.

Sauce aux crevettes – Ajouter une bonne poignée de crevettes cuites, décortiquées et dégelées à la sauce lorsqu'elle a été dégelée et réchauffée. Faire mijoter 3 à 5 minutes, jusqu'à ce qu'elle soit très chaude. Ne pas recongeler.

Sauce à la mie de pain

700 ml (2 ¾ tasses) de lait entier
½ oignon
8 clous de girofle
2 feuilles de laurier
100 g (1 ½ tasse) de chapelure
1 grosse noix de beurre

Très facile à faire, cette sauce riche et crémeuse est parfaite pour accompagner le poulet rôti.

Donne 750 ml / 3 tasses (6-8 portions)

Mettre le lait dans une casserole sur feu doux. Piquer l'oignon de clous de girofle et l'ajouter au lait avec les feuilles de laurier et un peu de sel et de poivre. Continuer la cuisson sur feu doux jusqu'à ce que le lait soit chaud, mais non bouillant. Ajouter la chapelure, remuer et laisser reposer 20 minutes. Retirer l'oignon et les feuilles de laurier, et verser la sauce dans un ou deux contenants.

(C) Laisser refroidir, puis couvrir, étiqueter et congeler.

(D) Laisser une nuit au réfrigérateur (ou mettre au micro-ondes, fonction décongélation).

(R) Réchauffer doucement dans une casserole, en incorporant le beurre juste avant de servir.

Chapelure

8 tranches de pain de mie vieux d'un jour

Préparez-la à l'avance afin d'en avoir sous la main pour enrober du poulet ou du poisson frais, ou utiliser dans la sauce ci-dessus.

Donne 300 g (4 tasses)

Émietter le pain au robot jusqu'à consistance fine.

(C) Répartir dans 2 petits sacs, étiqueter et congeler. Il n'est généralement pas nécessaire de décongeler avant utilisation.

Sauce madère

1 c. à soupe de beurre
1/2 gros oignon, haché fin
1 c. à soupe de farine
3 brins de thym
1 feuille de laurier
250 ml (1 tasse) de consommé ou de
  bouillon de bœuf
1 c. à soupe de gelée de groseilles
  rouges
1 c. à thé (café) comble de ketchup
6 c. à soupe de madère

Cette sauce accompagne à merveille le bœuf et l'agneau, et est très utile lorsqu'on n'a pas assez de jus pour faire une sauce (par exemple pour le Bœuf Wellington, à la page 80). Cette recette est une version simplifiée de la recette traditionnelle accompagnant le carré d'agneau.

Donne 250 ml (1 tasse)

Faire fondre le beurre dans une casserole sur feu doux, ajouter l'oignon et poursuivre la cuisson 5 à 10 minutes pour ramollir. Incorporer la farine, puis ajouter les herbes, le consommé, la gelée et le ketchup. Saler et poivrer. Laisser mijoter 10 minutes, puis verser le madère et laisser mijoter encore 5 à 10 minutes. Assaisonner au goût.

(C) Retirer les herbes, puis refroidir avant de congeler.

(D) Laisser dégeler à la température ambiante 4 à 6 heures.

(R) Réchauffer doucement dans une casserole.

Bouillon de poulet

2 carcasses de poulet rôti
2 branches de céleri, hachées
1 grosse carotte, hachée
1 gros oignon, haché
8 grains de poivre
Quelques brins de thym
2 feuilles de laurier
1 bouquet de persil, avec feuilles et tiges
2,5 litres (10 tasses) d'eau froide

Je dois dire que je n'ai jamais fait de bouillon de poulet à partir d'os non cuits, mais je trouve très facile d'en préparer à partir d'une carcasse de poulet rôti : il suffit de la mettre dans une casserole et de la laisser mijoter pendant qu'on lit les journaux du dimanche. Le résultat est délicieux et beaucoup moins cher que du bouillon du commerce. Rappelez-vous toutefois d'ajouter du sel si vous l'utilisez en remplacement d'un cube de bouillon.

Donne environ 1,5 litres (6 tasses)

Mettre tous les ingrédients dans une grande casserole et porter lentement à ébullition. Laisser mijoter 2 heures. Filtrer dans une passoire au-dessus de bocaux ou de sacs.

(C) Laisser refroidir, puis étiqueter et congeler.

(D) Laisser dégeler à la température ambiante 4 à 6 heures, selon la taille du contenant.

(R) Ajouter aux recettes tel qu'indiqué.

Pâte sucrée

250 g (1 1/4 tasse) de beurre, ramolli
125 g (5/8 de tasse) de sucre super fin
1 œuf et 1 jaune d'œuf
500 g (4 1/2 tasses) de farine, tamisée
1 c. à soupe d'eau froide

Donne environ 1 kg (2,2 lb)

Battre le beurre et le sucre en crème au robot. Ajouter les œufs et mélanger de nouveau. Ajouter la farine et l'eau, et mélanger 5 secondes. Racler les côtés du bol et mélanger jusqu'à ce que les ingrédients commencent juste à s'agglutiner. Former une boule de pâte avec les mains et diviser en portions de la taille souhaitée.

(C) Bien envelopper dans un sac à congélation, étiqueter et congeler.

(D) Laisser à la température ambiante 1 à 2 heures, puis utiliser.

Pâte brisée

500 g (4 1/2 tasses) de farine
125 g (5/8 de tasse) de beurre froid, en dés
125 g (5/8 de tasse) de saindoux froid, en dés
1 pincée de sel
De l'eau glacée

Donne environ 800 g (1 ¾ lb)

Mettre la farine, le beurre, le saindoux et le sel dans le robot. Mélanger par brèves impulsions pour obtenir une consistance de chapelure. Ajouter de l'eau graduellement jusqu'à ce que le mélange commence à s'agglutiner. Former une boule de pâte avec les mains. Abaisser sur une surface farinée, plier, puis diviser en portions de la taille souhaitée.

(C) Bien envelopper dans un sac à congélation, étiqueter et congeler.

(D) Laisser à la température ambiante 1 à 2 heures, puis utiliser.

Petits soufflés chauds

3 œufs
Environ 175 ml (3/4 de tasse) de farine
Environ 175 ml (3/4 de tasse) de lait
  2 % M.G. (demi-écrémé) ou de lait
  entier additionné d'un peu d'eau
2 pincées de flocons de sel de mer
Huile de tournesol ou végétale
Moule à muffins

Délicieux pour accompagner un rôti. Si vous avez seulement 2 œufs, mesurez leur volume et utilisez le même volume de farine et de lait. Vous pouvez aussi augmenter les quantités à votre guise, tout en conservant les proportions. Lorsque vous réchaufferez les soufflés, vous pourrez également verser un filet de jus du rôti de bœuf au centre afin de les rendre encore plus savoureux.

Donne 12 à 14 soufflés

Préchauffer le four à 230 °C/450 °F/gaz 8. Casser les œufs dans une tasse à mesurer pour vérifier leur volume. Verser dans un bol. Laver et sécher la tasse à mesurer et mesurer exactement le même volume de farine. Tamiser au-dessus des œufs. Verser le même volume de lait dans la tasse à mesurer. Battre les œufs et la farine avec le sel de mer et un peu de poivre moulu. Incorporer graduellement le lait au fouet. Quand la pâte est lisse, la verser dans la tasse à mesurer.

Verser environ 1/2 c. à thé (café) d'huile au fond de chaque cavité d'un moule à muffins. Mettre le moule au four 10 minutes. Quand l'huile est bien chaude, remplir chaque cavité de pâte jusqu'au tiers. Remettre aussitôt le moule au four et faire cuire 12 à 15 minutes, en ouvrant la porte du four seulement à la fin pour vérifier (les soufflés ne lèveront pas aussi bien si on ouvre constamment la porte). Retourner chaque soufflé à l'envers et remettre au four 1 ou 2 minutes pour faire griller la base. Sortir du four et renverser les soufflés sur une grille pour les faire refroidir.

(C) Congeler à découvert, puis mettre dans un sac et étiqueter. On peut aussi congeler la pâte non cuite, puis la dégeler et la faire cuire comme ci-dessus.

(R) Faire cuire congelés, 5 à 10 minutes, dans un four préchauffé à approximativement 200 °C/400 °F/gaz 6. On peut simplement les mettre au four dès que le rôti a fini de cuire.

Crème anglaise

250 ml (1 tasse) de lait entier

100 ml (3 1/2 oz) de crème 35 % M.G.
ou de double-crème

1 c. à thé (café) d'extrait de vanille de
bonne qualité ou 1 gousse, grattée
plus ses graines

2 jaunes d'œufs

1 1/2 c. à soupe de sucre super fin

1 c. à thé (café) comble de fécule
de maïs

J'adore la crème anglaise sous toutes ses formes! Cette recette infaillible ne tournera pas, c'est promis! Comme elle est plutôt coulante, vous pouvez ajouter une cuillère à thé (café) de fécule de maïs si vous la préférez plus épaisse.

Donne 400 ml (1 2/3 tasse)

Verser le lait et la crème dans une casserole et ajouter la vanille. Réchauffer sur feu doux jusqu'à ce que le liquide soit chaud, mais non bouillant. Entre-temps, battre les jaunes d'œufs dans un bol avec le sucre et la fécule de maïs. Incorporer le liquide chaud au mélange d'œufs en battant, puis remettre dans la casserole et poursuivre la cuisson 3 à 4 minutes, en remuant sans arrêt, jusqu'à ce que la préparation ait épaissi.

(C) Verser dans un contenant, couvrir la surface d'une pellicule plastique (pour éviter la formation d'une peau) et laisser refroidir; retirer le plastique, couvrir, étiqueter et congeler.

(D) Laisser dégeler toute une nuit au réfrigérateur.

(R) Réchauffer dans une casserole sur feu doux.

Crêpes

125 g (1 1/8 tasse) de farine

1 œuf

1/2 c. à thé (café) d'huile végétale ou de
tournesol

1 pincée de sel

300 ml (1 1/4 de tasse) de lait entier

2 c. à soupe de beurre

La pâte non cuite et les crêpes peuvent être congelées.

Donne 6 crêpes

Mettre la farine, l'œuf, l'huile, le sel et la moitié du lait dans un bol ou le mélangeur, et battre jusqu'à l'obtention d'une texture lisse. Ajouter le reste du lait et battre de nouveau. Faire fondre un peu de beurre et en badigeonner uniformément une poêle à crêpes ou à frire avec un pinceau à pâtisserie. Ajouter une louche de pâte et incliner la poêle en tous sens pour la couvrir d'une fine couche du mélange. Faire cuire sur feu moyen jusqu'à ce que la crêpe commence à dorer. La retourner à l'aide d'une palette métallique (ou la faire sauter!) et faire cuire l'autre côté, puis déposer sur une feuille de papier sulfurisé. Faire cuire le reste de la préparation, en empilant les crêpes entre des feuilles de papier sulfurisé.

(C) Envelopper la pile de crêpes dans du papier aluminium et congeler.

(D) Laisser dégeler à la température ambiante 1 à 2 heures.

(R) Réchauffer dans un four à feu moyen ou au micro-ondes.

Sauce tomate de base

3 c. à soupe d'huile d'olive

2 gros oignons rouges,
    pelés et hachés fin

2 kg (4 1/4 lb) de tomates fraîches
    très mûres

3 gousses d'ail, pelées et écrasées

2 c. à thé (café) de sucre super fin

1 1/2 c. à soupe de vinaigre balsamique

Cette sauce pratique me permet d'utiliser d'un seul coup toute notre récolte de tomates! Elle est simple et savoureuse, et on peut très bien y ajouter des piments, des carottes, des courgettes ou du basilic frais haché selon nos envies et ce que l'on a sous la main. Modifiez-la à votre goût et utilisez-la comme base pour une sauce bolognaise, une garniture à Pizza (page 160) ou une sauce pour le poulet au chorizo, poivrons et olives (page 84). Les possibilités sont innombrables!

Donne 1,3 litre (5 tasses)

Réchauffer doucement l'huile dans une grande casserole, ajouter les oignons et les faire ramollir sur feu doux 15 à 20 minutes. Pendant ce temps, mettre les tomates dans un grand bol et les couvrir d'eau bouillante. Après une minute, égoutter et peler (cette étape est très rapide). Hacher les tomates grossièrement, en jetant les parties dures.

Ajouter l'ail et le sucre aux oignons et faire frire encore 5 minutes, en remuant de temps à autre. Ajouter les tomates et leur jus, le vinaigre, du sel et du poivre. Poursuivre la cuisson à feu doux 1 à 1 1/2 heure, jusqu'à ce que la sauce ait épaissi, mais puisse encore être versée.

(C) Laisser refroidir, répartir dans des contenants ou des sacs pour congélation, étiqueter et congeler.

(D) Dégeler à la température ambiante 4 à 5 heures, selon la quantité.

(R) Utiliser dans des recettes ou réchauffer dans une casserole sur feu doux ou au micro-ondes.

Mélange de bœuf haché de base

3 à 4 c. à soupe d'huile d'olive

2 kg (4 1/4 lb) de bœuf haché

4 oignons, pelés et hachés

6 grosses carottes, pelées et hachées

4 branches de céleri, parées et coupées en lamelles

4 gousses d'ail, écrasées

4 c. à thé (café) combles de purée de tomates

2 c. à soupe de farine

3 feuilles de laurier

4 c. à thé (café) de sauce Worcestershire

800 g (28 oz) de tomates hachées en conserve

1 litre (4 tasses) de bouillon de bœuf

Cette recette se situe entre la sauce bolognaise et la garniture de pâté chinois (hachis Parmentier). Si vous souhaitez préparer une sauce, ajoutez un peu de purée de tomates et des champignons au moment de réchauffer. Si vous faites un pâté chinois (hachis Parmentier), réchauffez simplement en ajoutant des petits pois congelés ou du maïs, si désiré, et couvrez d'une purée crémeuse de pommes de terre ou d'autres légumes-racines. Vous pouvez aussi utiliser ce mélange pour la Lasagne au bœuf et aux épinards (page 98).

Donne 12 portions

Réchauffer 1 c. à soupe d'huile dans une grande poêle à frire. Ajouter environ un tiers de la viande et faire brunir à feu vif. Transférer dans un bol à l'aide d'une cuillère à égoutter, puis faire cuire le reste de la viande en deux autres fois (1/3 à chaque fois), en ajoutant de l'huile au besoin. Lorsque toute la viande cuite est dans le bol, mettre les oignons, les carottes et le céleri dans la poêle. Faire frire doucement, en remuant de temps à autre, environ 10 minutes. Mettre la viande et les légumes dans une grande casserole (ou deux si nécessaire). Incorporer l'ail, la purée de tomates et la farine, et poursuivre la cuisson quelques minutes en remuant. Ajouter les feuilles de laurier, la sauce Worcestershire, les tomates et le bouillon. Remuer, saler et poivrer, puis laisser mijoter 45 minutes, en remuant de temps à autre.

(C) Laisser refroidir; répartir dans des sacs ou des contenants de la taille voulue, étiqueter et congeler.

(D) Laisser dégeler une nuit au réfrigérateur.

(R) Utiliser dans des recettes ou réchauffer dans une casserole à feu doux.

Poulet aux herbes et au vin blanc

8 cuisses de poulet

3 feuilles de laurier

1 c. à thé (café) d'estragon séché

15 grains de poivre

30 g (1/2 tasse) de persil (bouquet
    moyen), feuilles et tiges séparées

200 ml (3/4 de tasse) de vin blanc sec

4 branches de céleri, parées

4 oignons, pelés et coupés en deux

6 carottes moyennes, pelées

1 noix de beurre

350 g (3/4 de lb) de champignons café,
    en quartiers

2 gousses d'ail, écrasées

4 c. à soupe combles de farine

1 filet de sauce soja

3 c. à soupe de crème 35 % M.G. ou de
    double-crème

Pour un excellent ragoût printanier, ajoutez des asperges blanchies, des petits pois et des haricots. Vous pouvez aussi recouvrir le poulet d'une pâte pour en faire le Pâté au poulet et au jambon (page 86).

Donne 8 portions

Mettre les cuisses de poulet, les feuilles de laurier, l'estragon, le poivre, les tiges de persil, le vin et 2 branches de céleri dans une grande casserole. Ajouter les moitiés de 2 oignons et 2 carottes, puis verser assez d'eau pour couvrir (environ 2 litres ou 8 tasses). Couvrir la casserole et porter à ébullition, puis réduire la chaleur et faire mijoter, à moitié couvert, durant 25 minutes, jusqu'à ce que le jus du poulet soit clair.

Retirer le poulet de la casserole et réserver, en continuant de faire mijoter le bouillon. Pendant ce temps, hacher finement le reste des oignons, des carottes et du céleri. Réchauffer le beurre dans une grande poêle sur feu doux, ajouter les légumes hachés et une pincée de sel, et faire suer 6 à 8 minutes. Entre-temps, désosser le poulet et réserver. Mettre les os et la peau dans le bouillon et poursuivre la cuisson.

Ajouter les champignons et l'ail aux légumes hachés dans la grande poêle et augmenter le feu pour faire dorer tous les ingrédients (3 à 4 minutes). Incorporer la farine et poursuivre la cuisson à feu doux 1 minute. Filtrer le bouillon dans une grande tasse à mesurer. En conserver 800 ml (3 1/4 tasses) et congeler le surplus. Verser la majorité du bouillon et la sauce soja sur les légumes, en remuant lentement jusqu'à ce que le liquide commence à frémir et à épaissir. Ajouter un peu de bouillon si le liquide est trop épais. Il devrait pouvoir enduire le dos d'une cuillère. Hacher les feuilles de persil et les ajouter au mélange avec le poulet. Incorporer la crème, goûter et rectifier l'assaisonnement au besoin.

(C) Verser dans des contenants de la taille désirée (pour le Pâté au poulet et au jambon de la page 86, il faut en réserver environ la moitié); laisser refroidir avant de couvrir, puis étiqueter et congeler.

(D) Laisser dégeler une nuit au réfrigérateur.

(R) Réchauffer dans une casserole sur feu doux.

Pâte de cari verte thaïlandaise

8 feuilles de lime kaffir (combava), déchiquetées

4 échalotes, pelées et hachées

4 piments verts, épépinés et coupés en morceaux de 1 cm (1/2 po)

4 gousses d'ail, pelées et hachées

2 tiges de citronnelle, parées et hachées fin

1 morceau de gingembre de 5 cm (2 po), pelé et haché

75 g (3 oz) de coriandre, feuilles et tiges

1 poignée de feuilles de basilic

1 1/2 c. à thé (café) de cassonade foncée ou de sucre de palme

1 c. à thé (café) de flocons de sel de mer

1 c. à thé (café) de coriandre moulue

3/4 de c. à thé (café) de mélange cinq-épices thaïlandais (facultatif)

2 c. à soupe d'huile de tournesol

2 c. à soupe de grains de poivre vert, égouttés

Chaque fois que j'ai le temps, j'essaie de faire ma propre pâte de cari verte thaïlandaise au lieu d'en acheter en bocal. J'en prépare simplement une grosse quantité que je congèle. Elle est infiniment meilleure que celle du commerce, et le fait d'utiliser un gros bouquet d'herbes et un morceau de gingembre évite le gaspillage. Vous pouvez doubler la recette si vous le souhaitez. Il est difficile de bien doser le goût piquant, car la quantité de capsaïsine dans les piments forts varie énormément. C'est à vous de décider si vous voulez ajouter les graines pour une version encore plus piquante. Cette pâte de cari peut servir à préparer le Cari de poulet et de courge musquée à la noix de coco (page 66), une Soupe aux crevettes et aux nouilles (page 71) ou les Brochettes de bœuf asiatiques (page 62).

Donne 15 cubes (assez pour 10 portions de cari)

Mettre tous les ingrédients, à l'exception des grains de poivre, dans le robot avec 2 c. à soupe d'eau. Mélanger, en raclant les parois du bol de temps à autre, jusqu'à l'obtention d'une pâte lisse. Mettre dans un bol et incorporer les grains de poivre.

(C) Déposer des cuillerées de sauce dans un bac à glaçons et congeler. Mettre les cubes dans un sac, étiqueter et remettre au congélateur.

(R) Utiliser 3 cubes pour un cari de deux portions. Réchauffer un peu d'huile dans une poêle, ajouter les cubes congelés et réchauffer doucement jusqu'à ce qu'ils soient dégelés. Faire cuire 2 minutes avant d'incorporer une boîte de lait de coco. Ajouter du poulet, des crevettes ou des légumes. Lorsqu'ils sont cuits, arroser d'un filet de sauce de poisson et d'un peu de jus de lime.

Pain à l'ail

4 c. à soupe de beurre ramolli

2 gousses d'ail

1 c. à soupe de persil frais, haché

1 grosse ciabatta ou 1 pain pavé
   de 400 g (1 lb), coupé aux trois quarts
   en tranches de 2,5 cm (1 po)

J'achète rarement du pain à l'ail car, selon moi, à part les versions hors de prix, ces baguettes sont souvent décevantes. Toutefois, le pain à l'ail maison est toujours un délice et est tout indiqué avec un bol de pâtes quand on reçoit des amis.

Donne 4 à 6 portions

Mélanger le beurre, l'ail et le persil dans un bol, puis saler et poivrer. Étaler généreusement sur la face intérieure des tranches de pain.

(C) Envelopper le pain de papier aluminium, mettre dans un sac de plastique et congeler.

(D) Sortir du congélateur 2 à 3 heures à l'avance.

(R) Préchauffer le four à 220 °C/425 °F/gaz 7. Déposer le pain enveloppé de papier aluminium sur une plaque et faire cuire 15 minutes, pour qu'il soit bien chaud.

Soupes, entrées et hors-d'œuvre

Soupe épicée aux carottes, tomates, chorizo et coriandre

1 c. à soupe d'huile d'olive

1 oignon rouge, haché fin

250 g (9 oz) de chorizos (ou d'un autre petit saucisson) à cuire, peau enlevée et hachés

400 g (14 oz) de carottes, en dés

400 g (14 oz) de patates douces, pelées et en dés

3 branches de céleri, en dés

1 à 2 c. à thé (café) de piments séchés

1 c. à thé (café) de graines de cumin

1/2 c. à thé (café) de coriandre moulue

1/2 c. à thé (café) de curcuma

350 g (3/4 de lb) de tomates, hachées

1 litre (4 tasses) de bouillon de poulet

30 g (1/2 tasse) de coriandre fraîche, hachée

400 g (14 oz) de pois chiches en conserve, égouttés

Jus de 1 lime

Pour servir

Morceaux de pain et de manchego (fromage de lait de brebis) (facultatif)

Nous avons un petit problème dans notre potager : jusqu'à maintenant, mon mari n'a réussi à y faire pousser que des carottes bosselées. On nous a dit que c'était causé par des cailloux dans la terre, mais comme nous n'avons pas l'énergie de corriger le problème en les enlevant du sol, je me retrouve avec de longues carottes difformes pour faire la cuisine. Cette soupe consistante est la solution idéale, qui permet à nos affreuses carottes d'avoir l'occasion d'être en vedette !

Donne 1,7 litre (7 tasses)

Réchauffer l'huile dans une grande casserole et ajouter l'oignon et les chorizos. Faire frire à feu doux 5 minutes, puis ajouter les carottes, les patates douces et le céleri. Poursuivre la cuisson 10 minutes, en remuant de temps à autre. Incorporer les épices et cuire encore 2 minutes, avant d'ajouter les tomates et le bouillon. Saler et poivrer généreusement, porter à ébullition et laisser mijoter 20 minutes, jusqu'à ce que les légumes soient tendres.

Mettre environ 4 pleines louches de soupe dans le mélangeur et ajouter la moitié de la coriandre et des pois chiches. Réduire en purée lisse, puis remettre dans la casserole avec le reste des pois chiches et de la coriandre. Arroser d'un filet de jus de lime.

Remuer, goûter et ajouter du sel, du poivre ou du jus de lime au besoin. Servir avec du pain et du manchego si vous le souhaitez.

(C) Verser dans un contenant et laisser refroidir ; couvrir, étiqueter et congeler.

(D) Laisser dégeler une nuit au réfrigérateur.

(R) Réchauffer dans une poêle à feu doux.

Soupe crémeuse aux courgettes, poireaux et parmesan

3 c. à soupe de beurre

2 poireaux moyens, parés et émincés

3 branches de céleri, parées
et hachées fin

1 kg (2,2 lb) de courgettes, en tranches
épaisses

1 grosse gousse d'ail, hachée

2 brins de romarin

850 ml (3 1/2 tasses) de bouillon de
poulet goûteux

75 g (3/4 de tasse) de parmesan, râpé

40 g (2/3 de tasse) de cheddar fort, râpé

300 ml (1 1/4 tasse) de lait entier

Pour servir

2 c. à soupe de persil frais, haché

Cette soupe permet notamment de se débarrasser des courgettes énormes qu'on retrouve au moins une fois par saison dans un jardin. Retirez les pépins au centre et pelez les grosses courgettes avant de les peser. Mettez aussi des courgettes de taille normale (elles ont un goût plus sucré), et essayez avec des courgettes jaunes : elles ont des pelures plus tendres et se prêtent mieux à la cuisson.

Donne 6 portions

Faire fondre le beurre dans une grande casserole et faire revenir les poireaux et le céleri 5 minutes.

Ajouter les courgettes et faire cuire encore 10 minutes. Ajouter l'ail et le romarin, et poursuivre la cuisson 3 à 4 minutes, en remuant. Verser le bouillon, saler et poivrer. Couvrir et laisser mijoter 15 minutes, jusqu'à ce que les légumes soient tendres.

Retirer les brins de romarin, incorporer les fromages, puis le lait. Réduire la soupe en purée et goûter pour vérifier l'assaisonnement. Servir parsemé de persil.

(C) Verser dans un contenant et laisser refroidir ; couvrir, étiqueter et congeler.

(D) Laisser dégeler une nuit au réfrigérateur.

(R) Réchauffer dans une casserole sur feu doux.

Soupe aux petits pois et au cresson

2 c. à soupe de beurre

1 gros oignon, pelé et émincé

2 branches de céleri, parées et émincées

250 g (9 oz) de pommes de terre, pelées et en dés de 5 cm (2 po)

550 ml (2 1/4 tasses) de bouillon de poulet ou de légumes

200 g (7 oz) de petits pois frais ou congelés

150 g (3/4 de lb) de cresson

500 ml (2 tasses) de lait entier

Pour servir

Croûtons et brins de cresson (facultatif)

Voici une soupe nutritive et très rafraichissante. Le cresson, légume très léger, est riche en fibres, en calcium et en magnésium. Il est à haute teneur en vitamines et il est un précieux antioxydant. En plus, son goût surprenant est unique !

Donne 1,5 litre (6 tasses)

Faire fondre le beurre dans une grande casserole et faire revenir l'oignon doucement 6 à 8 minutes. Ajouter le céleri et les pommes de terre et poursuivre la cuisson 5 minutes en remuant de temps à autre. Verser le bouillon et porter à ébullition. Laisser mijoter 15 minutes, jusqu'à ce que les pommes de terre soient tendres.

Ajouter les petit pois et le cresson (en réservant quelques brins pour garnir), et laisser mijoter quelques minutes, en remuant pour ramollir le cresson. Éteindre le feu, incorporer le lait, puis réduire en purée au mélangeur ou au mélangeur plongeur.

(C) Verser dans un contenant et laisser refroidir ; couvrir, étiqueter et congeler.

(D) Laisser dégeler une nuit au réfrigérateur.

(R) Réchauffer dans une casserole sur feu doux. Servir la soupe dans des bols, garnie de brins de cresson et de croûtons.

Gaspacho

1/2 gros concombre,
   haché grossièrement
1 poivron vert, épépiné et en dés
3 tomates en grappe, évidées et
   en quartiers
1/2 petit oignon rouge, haché
2 tranches épaisses de pain blanc
   vieux d'un jour, déchiquetées
2 gousses d'ail, hachées
2 1/2 c. à soupe d'huile d'olive
2 1/2 c. à soupe de vinaigre de vin rouge
   ou de cidre de bonne qualité
1 pincée de sucre
400 ml (1 2/3 tasse) de jus de tomate
Tabasco, au goût (facultatif)

Cette soupe est délicieuse servie très froide dans des petits verres, par une chaude journée d'été. Vous pouvez aussi la servir dans des bols, avec un jet de citron et d'huile, garnie de crevettes décortiquées ou d'amandes blanchies hachées.

Donne 1 litre (4 tasses)

Mettre le concombre, le poivron, les tomates, l'oignon, le pain, l'ail, l'huile, le vinaigre et le sucre dans un bol avec un peu de sel et de poivre. Remuer. Laisser reposer au frais 4 heures ou toute une nuit pour que les saveurs s'imprègnent. Réduire en purée lisse au mélangeur. Ajouter le jus de tomate et goûter pour vérifier l'assaisonnement, en ajoutant du tabasco au besoin.

(C) Verser dans un contenant, couvrir, étiqueter et congeler.

(D) Laisser dégeler une nuit au réfrigérateur.

Velouté de courge musquée

3 c. à soupe de beurre

1 gros oignon, pelé et haché

1 kg (2,2 lb) de courge musquée, pelée, épépinée et en dés

2 grosses carottes, pelées et en dés

350 ml (1 1/2 tasse) de bouillon de poulet goûteux

700 ml (2 3/4 tasses) de lait entier

1 pincée de muscade râpée

Il existe bien sûr de nombreuses versions de soupes à la courge musquée, mais je crois que cette recette, qui inclut des carottes, est la meilleure de toutes ! Utilisez le mélangeur ordinaire plutôt que le mélangeur plongeur pour obtenir une soupe plus veloutée.

Donne 1,8 litre (7 tasses)

Faire fondre le beurre et faire revenir l'oignon 5 à 8 minutes pour l'attendrir. Ajouter la courge musquée et les carottes, et poursuivre la cuisson environ 10 minutes, en remuant de temps à autre. Verser le bouillon et le lait, et réchauffer jusqu'à ce que le liquide frémisse, sans bouillir. Laisser mijoter environ 20 minutes, puis assaisonner généreusement de sel, poivre et muscade. Réduire en purée au mélangeur et goûter pour vérifier l'assaisonnement.

(C) Verser dans un contenant et laisser refroidir ; couvrir, étiqueter et congeler.

(D) Laisser dégeler une nuit au réfrigérateur.

(R) Réchauffer dans une casserole sur feu doux.

Soupe d'aiglefin fumé

2 c. à soupe de beurre

2 c. à thé (café) d'huile d'olive

1 gros oignon, haché

4 pommes de terre moyennes, non pelées si nouvelles, en dés de 2 à 3 cm (3/4 de po)

1 c. à soupe de feuilles de thym

1 filet de vin blanc

500 ml (2 tasses) de bouillon de poulet

750 ml (3 tasses) de lait entier

400 g (14 oz) de maïs en grains en conserve égoutté, ou 2 gros épis, égrenés

450 g (1 lb) de filet d'aiglefin fumé, non coloré, en morceaux de 4 cm (1 1/4 po)

Pour servir

5 tranches de bacon entrelardé, haché

2 c. à soupe de crème 35 % de M.G. ou de double-crème

1 poignée de ciboulette, ciselée

Les soupes de poisson sont mes préférées, et de loin. Elles figurent souvent à notre menu du samedi midi. Selon moi, la meilleure est le potage aux palourdes, suivi de près par celle-ci. Si vous le pouvez, procurez-vous de l'aiglefin fumé non coloré, qui a une saveur plus subtile.

Donne 4 portions

Réchauffer le beurre et l'huile, et faire revenir l'oignon à feu doux 5 minutes. Ajouter les pommes de terre et poursuivre la cuisson 5 minutes. Ajouter le thym et le vin, et faire bouillir une minute avant de verser le bouillon. Remuer, verser le lait et porter à faible ébullition. Réduire la chaleur et laisser mijoter 10 minutes, jusqu'à ce que les pommes de terre soient presque tendres.

Incorporer le maïs, l'aiglefin et un peu de poivre moulu, et faire mijoter encore 10 minutes, jusqu'à ce que l'aiglefin soit tout juste cuit. Goûter pour vérifier l'assaisonnement, en ajoutant un peu de sel au besoin.

(C) Verser dans un contenant et laisser refroidir ; couvrir, étiqueter et congeler.

(D) Laisser dégeler une nuit au réfrigérateur.

(R) Réchauffer dans une casserole sur feu doux, en prenant soin de ne pas défaire le poisson.

(S) Réchauffer une poêle et faire cuire le bacon jusqu'à ce qu'il soit croustillant. Égoutter sur des essuie-tout. Servir la soupe dans des bols, garnie d'une spirale de crème, d'une ou deux tranches de bacon et de ciboulette.

Roulés de saucisse à la moutarde et aux graines de pavot

400 g (14 oz) de saucisses parfumées
   aux herbes
Farine, pour saupoudrer
500 g (1 lb) de Pâte brisée (page 28)
   ou de pâte brisée pur beurre du
   commerce, dégelée
1 œuf battu
2 à 3 c. à soupe de moutarde de Dijon
   ou anglaise (ou de marmelade
   d'oignon ou de confiture de piment)
Graines de pavot (ou de sésame),
   pour parsemer

Ma mère fait ces savoureux petits pâtés en forme de croissants depuis des années. Elle ne se souvient pas dans quel livre elle a déniché cette recette, que j'ai modifiée quelque peu, mais je tiens à remercier la personne qui a eu l'idée de les rouler comme des croissants. Ne lésinez pas sur la quantité de viande, sinon vous vous retrouverez avec une bouchée de pâte dans la bouche ! Vous pouvez utiliser les saucisses de votre choix.

Donne 18 roulés

Préchauffer le four à 200 °C/400 °F/gaz 6.

Fendre les saucisses à l'aide d'un couteau bien aiguisé, puis presser pour en faire sortir la chair dans un bol. Diviser en 18 parties égales et rouler chacune en forme de petite saucisse.

Sur une surface bien farinée, abaisser la pâte et tailler les bords pour former un carré mince d'environ 30 cm (12 po) de côté. Découper trois lanières égales, puis couper chacune en trois carrés. Tailler chaque carré en deux diagonalement pour obtenir 18 triangles.

Badigeonner les bords d'un triangle avec l'œuf battu. Déposer au centre une petite cuillerée de moutarde et de la chair à saucisse. Rouler le triangle bien serré vers la pointe, en repliant les coins extérieurs pour sceller (ne pas s'inquiéter si on aperçoit un peu de viande). Badigeonner le tout d'œuf battu et parsemer de graines de pavot. Faire de même avec les autres triangles.

Déposer les pâtés sur une plaque à pâtisserie tapissée de papier sulfurisé et mettre au four 20 à 25 minutes.

(C) Laisser refroidir, puis congeler entre des couches de papier sulfurisé ou ciré dans un contenant, ou congeler à découvert avant de mettre dans un sac.

(R) Cuire congelé dans un four préchauffé à 200 °C/400 °F/gaz 6 environ 8 minutes, pour que les pâtés soient très chauds.

Deux pâtés à congeler

Si j'étais mieux organisée, j'aurais toujours ces pâtés en réserve dans mon congélateur. Ces deux plats sont parfaits un samedi midi ou lors d'un repas entre amis.

150 g (2/3 de tasse) de beurre

125 g (1/4 de lb) de filets de truite
    fumée à chaud

100 g (3 1/2 oz) de truite fumée à froid

Zeste et jus de 1/2 gros citron

5 c. à soupe de crème 35 % M.G. ou de
    double-crème

1 c. à thé (café) de sauce aux anchois
    ou 2 filets d'anchois dans l'huile,
    égouttés et hachés

Pour servir

Pain grillé et quartiers de citron

Pâté à la truite fumée

Donne 4 à 6 portions

Faire fondre le beurre dans une casserole sur feu doux ou au micro-ondes. Laisser refroidir 5 minutes. Pendant ce temps, mettre les filets de truite et la moitié de la truite dans le robot. Ajouter le jus et le zeste de citron, la crème, la sauce aux anchois et une bonne quantité de poivre noir moulu. Verser les trois quarts du beurre fondu. Mélanger jusqu'à consistance lisse, en raclant les parois du bol une fois. Déchiqueter le reste de la truite et ajouter au mélange. Mélanger par brèves impulsions jusqu'à ce que la préparation soit homogène, mais pas trop lisse. Goûter pour vérifier l'assaisonnement, puis répartir dans 4 à 6 petites terrines (ou mettre dans un grand récipient). Couvrir avec le reste du beurre et faire refroidir.

250 g (1 1/8 tasse de tasse) de beurre

1 c. à thé (café) d'huile végétale

1/2 petit oignon, haché

400 g (14 oz) de foies de poulet frais,
    hachés grossièrement

1 c. à thé (café) de feuilles de thym

2 tiges de persil

1 feuille de laurier

Un bon filet de brandy, de madère ou
    de xérès doux

Pour servir

Pain grillé, marmelade d'oignon
    ou chutney, et quelques gouttes
    de citron

Parfait aux foies de volaille

Donne 6 à 8 portions

Faire fondre 75 g (3 oz) du beurre dans une casserole sur feu doux ou dans un bol au micro-ondes. Réserver. Faire fondre encore 75 g (3 oz) du beurre restant dans une poêle avec l'huile. Faire revenir l'oignon pour l'attendrir, puis augmenter la chaleur et ajouter les foies de poulet, les herbes, du sel et du poivre. Faire sauter 3 à 4 minutes, puis ajouter l'alcool et poursuivre la cuisson 2 minutes. Retirer du feu et laisser refroidir un peu avant d'enlever les tiges de persil et la feuille de laurier. Réduire en purée lisse au mélangeur. Couper le reste du beurre en dés et ajouter au mélangeur pendant que le moteur tourne. Goûter et rectifier l'assaisonnement si nécessaire.

Pour un pâté très lisse, passer la préparation dans une passoire au-dessus d'un bol. Mettre dans des pots individuels ou un grand récipient. Lisser le dessus et verser le beurre fondu. Faire refroidir.

(C) Couvrir les pots, étiqueter et congeler.

(D) Laisser dégeler une nuit au réfrigérateur.

(S) Sortir du réfrigérateur une heure avant de servir,
    pour que le pâté ramollisse.

Terrine de gibier au poivre rose

4 c. à soupe de brandy

14 pruneaux prêts à manger, dénoyautés

Environ 800 g (28 oz) de lapin désossé (2 lapins)

750 g (1 2/3 lb) de poitrine de porc, découennée et coupée en morceaux de 1 à 2 cm (1/2 à 3/4 de po)

1 noix de beurre

1 filet d'huile végétale

1 petit oignon, haché

2 foies de lapin

2 gousses d'ail, hachées

100 g (3 1/2 oz) de pancetta en cubes

1/2 c. à thé (café) de piment de la Jamaïque

1/2 c. à thé (café) de feuilles de thym

2 œufs, battus

6 c. à soupe de bouillon de poulet

2 c. à thé (café) de flocons de sel de mer

2 c. à thé (café) de grains de poivre rose en saumure, égouttés

300 g (10 1/2 oz) de bacon fumé entrelardé (environ 12 tranches)

Pour servir

Pain grillé, salade de roquette et cornichon

Si vous n'aimez pas le lapin, vous pouvez le remplacer par du faisan ou du poulet.

Donne 2 terrines de 900 g (2 lb) (8 à 10 portions chacune)

2 moules à pain de 900 g (2 lb) chacun

Laiser macérer la moitié du brandy et les pruneaux dans un petit bol. Préchauffer le four à 180 °C/350 °F/gaz 4. Réserver la moitié du lapin désossé pour garnir le centre de la terrine. Pour cela, choisir des filets, ainsi qu'un peu du reste de la viande au besoin, et couper en longues lanières épaisses. Couper le reste en petits morceaux et mettre dans un bol avec la poitrine de porc.

Faire fondre le beurre avec l'huile dans une poêle et faire revenir l'oignon 5 à 8 minutes. Ajouter les foies et l'ail, et faire sauter pour les saisir. Verser le reste du brandy et faire cuire quelques minutes, puis mettre dans le bol de viande avec la pancetta, le piment de la Jamaïque, le thym, les œufs, le bouillon, le sel et du poivre moulu. Bien remuer, puis mélanger au robot culinaire plusieurs fois, pour obtenir une texture grumeleuse de viande hachée (la préparation ne doit pas être lisse). Remettre dans le bol et incorporer les grains de poivre rose. Tapisser les deux moules de tranches de bacon, en les étalant côte à côte sur la largeur, leur extrémité pendant sur les côtés. Mettre la moitié de la préparation dans les moules et étaler les pruneaux sur une ligne au centre du plat. Déposer des morceaux de lapin de chaque côté, en remplissant tous les espaces. Couvrir avec le reste de la préparation et rabattre les tranches de bacon sur le dessus.

Envelopper les moules de papier aluminium et les déposer dans un plat à rôtir. Remplir le plat aux trois quarts d'eau bouillante et mettre les terrines au four durant 1 1/2 heure.

Sortir du four et laisser refroidir. Envelopper les moules de pellicule plastique, déposer des poids sur le dessus et réfrigérer toute une nuit.

(C) Démouler les terrines, retirer les traces de gelée à l'extérieur, envelopper de pellicule plastique et de papier aluminium, puis congeler.

(D) Laisser dégeler une nuit au réfrigérateur.

(S) Sortir du réfrigérateur jusqu'à une heure avant de servir. Trancher les terrines et servir avec du pain grillé, de la roquette et des cornichons.

Croquettes de courgettes et de maïs au saumon fumé

200 g (⁷⁄₈ de tasse) de farine

1 c. à soupe de levure chimique

2 œufs, battus

1 c. à thé (café) comble de flocons de sel de mer

3 pincées de poivre de Cayenne

1 ¹⁄₂ c. à soupe de ciboulette ciselée

175 ml (³⁄₄ de tasse) de lait entier

2 c. à soupe de beurre fondu, plus 1 noix de beurre pour la cuisson

1 courgette moyenne, parée et râpée

2 épis de maïs cuits et égrenés, ou 150 g (5 oz) de maïs en conserve, égoutté

Pour servir

200 g (⁷⁄₈ de tasse) de saumon fumé

8 c. à soupe de crème fraîche

¹⁄₂ petit oignon rouge, émincé

Petites câpres, ciboulette ciselée et quartiers de citron

Ces croquettes figurent au menu d'un restaurant où j'ai travaillé à Port Douglas, en Australie. Elles constituent une délicieuse alternative aux blinis si on les prépare de la taille d'un canapé.

Donne 8 croquettes (1 par personne en entrée)

Mettre la farine, la levure chimique, les œufs, le sel, le poivre de Cayenne et la ciboulette dans un bol. Ajouter le lait, le beurre fondu et une bonne quantité de poivre moulu, et battre au fouet. Incorporer la courgette et le maïs en remuant.

Faire fondre la noix de beurre dans une grande poêle. Déposer des cuillerées de préparation (environ 1 ¹⁄₂ c. à soupe par croquette) pour faire trois croquettes plutôt épaisses. Laisser cuire doucement 5 minutes, puis retourner afin de faire dorer l'autre côté.

(C) Déposer les croquettes sur du papier sulfurisé et congeler.

(D) Mettre sur une plaque à pâtisserie et laisser dégeler 2 heures à la température ambiante.

(R) Préchauffer le four à 160 °C/325 °F/gaz 3. Mettre la plaque au four 10 à 15 minutes, jusqu'à ce que les croquettes soient chaudes.

(S) Servir les croquettes sur des assiettes, garnies de saumon fumé, d'une cuillerée de crème fraîche, d'oignon rouge émincé, de câpres et de ciboulette, et accompagnées de quartiers de citron.

Tartelettes aux poireaux et au fromage

Ces tartelettes sont parfaites comme entrée, et vous pouvez vous amuser à les faire de tailles différentes.

400 g (14 oz) de Pâte brisée (page 28) ou 375 g (13 oz) de pâte brisée du commerce

2 c. à soupe de beurre

3 poireaux moyens, parés et hachés fin

2 œufs et 1 jaune d'œuf

250 ml (1 tasse) de crème 35 % M.G. ou de double-crème

150 g (5 oz) de fromage bleu ou au choix, émietté

Pour servir
Salade verte

Donne 6 portions

6 moules à tartelettes à fond amovible de 11 à 12,5 cm (4 à 5 po) de diamètre à la base et billes en céramique pour cuisson

Préchauffer le four à 180 °C/350 °F/gaz 4.

Sur une surface farinée, abaisser la pâte pour qu'elle soit très mince (même la pâte du commerce doit être abaissée davantage pour obtenir une croûte croustillante et un meilleur rapport pâte/garniture). Tailler des cercles de pâte pour garnir le fond des moules. Piquer la pâte. Découper des cercles de papier sulfurisé assez grands pour couvrir chaque moule. Chiffonner ces cercles, les déplier et recouvrir la pâte, en déposant dessus les billes pour cuisson. Placer les moules sur une plaque à pâtisserie et mettre au four 5 minutes. Retirer les billes et le papier, et remettre au four 5 minutes.

Pendant ce temps, réchauffer le beurre dans une poêle et faire revenir les poireaux à feu doux pour les attendrir (environ 10 minutes), en remuant de temps à autre. Battre les œufs et la crème dans un bol, et assaisonner.

Sortir les fonds de tartelettes du four et répartir les poireaux dans chacun. Couvrir de fromage, puis verser le mélange d'œufs jusqu'au bord de chaque moule. Mettre au four 15 à 20 minutes, jusqu'à ce que les tartelettes soient gonflées et dorées. Sortir du four et laisser refroidir.

(C) Lorsque les tartelettes ont refroidi, les démouler et les congeler à découvert. Les envelopper ensuite de papier aluminium ou les mettre dans un contenant étiqueté.

(R) Déposer les tartelettes gelées sur une plaque à pâtisserie et mettre au four à 180 °C/350 °F/gaz 4, durant 15 à 20 minutes, pour qu'elles soient bien chaudes (couvrir de papier aluminium au besoin pour éviter que le dessus ne soit trop grillé).

Cette recette peut aussi être préparée dans un moule à quiche de 24 cm (10 po) de diamètre et de 2,5 cm (1 po) de profondeur, en la faisant cuire 30 minutes. Réchauffer congelé, couvert de papier aluminium, à 180 °C/350 °F/gaz 4 durant 45 à 55 minutes.

Feuilletés de crevettes au tamarin

2 c. à thé (café) d'huile
1 oignon, haché fin
1 gousse d'ail, écrasée
1 morceau de gingembre de 2,5 cm (1 po), pelé et haché
1/2 gros piment rouge, épépiné et haché
14 tomates cerises coupées en deux
2 c. à soupe de pâte de tamarin
Jus de 1/2 lime
1 1/2 c. à thé (café) de sauce de poisson
220 g (1/2 lb) de crevettes tigrées, crues et pelées (s'assurer qu'elles n'ont pas été congelées), en morceaux de 2 cm (3/4 de po)
2 c. à soupe de coriandre fraîche, hachée
270 g (10 oz) de pâte filo (6 feuilles), dégelée
75 g (1/3 de tasse) de beurre, fondu, plus 3 c. à soupe pour badigeonner les feuilletés dégelés

Pour servir
Salade verte et chutney à la mangue

Servez-les en entrée ou comme canapés, en plus petit format. Ces feuilletés sont délicieux chauds, à la sortie du four, accompagnés de salade verte et de chutney à la mangue. Utilisez les graines de piment si vous voulez un résultat plus épicé.

Donne 12 feuilletés (pour 6 personnes en entrée)

Réchauffer l'huile dans une casserole et faire doucement revenir l'oignon pour l'attendrir (environ 10 minutes). Ajouter l'ail, le gingembre et le piment, et poursuivre la cuisson 2 à 3 minutes. Ajouter les tomates, la pâte de tamarin et le jus de lime, et cuire encore 10 minutes, jusqu'à ce que les tomates aient ramolli. Incorporer la sauce de poisson et retirer la casserole du feu.

Quand le mélange a refroidi, incorporer les crevettes et la coriandre.

Étendre les feuilles de pâte filo sur une surface propre et couvrir d'un linge humide. Prendre une des feuilles et la badigeonner entièrement de beurre fondu. Soulever un long côté et le replier vers le milieu. Badigeonner de beurre fondu, et rabattre l'autre côté pour former une longue lanière à trois épaisseurs. Couper en deux pour obtenir deux morceaux d'environ 20 cm (8 po) de longueur et 8 cm (3 po) de largeur.

Déposer 2 c. à thé (café) de garniture à une extrémité d'une lanière, en laissant une bordure de 2 cm (3/4 de po). Soulever le coin droit et replier diagonalement vers la gauche, en formant un triangle qui couvre la garniture. Plier de nouveau le long du pli supérieur du triangle. Continuer à plier ainsi jusqu'à atteindre l'extrémité de la lanière. Déposer le feuilleté sur une plaque couverte de papier sulfurisé. Procéder de la même façon avec le reste de la pâte, pour faire 12 feuilletés.

(C) Congeler les feuilletés non cuits à découvert, puis les mettre dans un contenant couvert et étiqueté.

(M) Badigeonner les feuilletés congelés de beurre fondu et mettre au four à 200 °C/400 °F/gaz 6 durant 25 minutes, jusqu'à ce qu'ils soient dorés.

(S) Servir avec une salade verte et du chutney à la mangue (allongé d'un peu d'eau chaude).

700 g (1 1/2 lb) de surlonge de bonne
     qualité, en lanières de 7 cm (3 po)
Huile végétale, pour badigeonner

Pour la marinade
1 morceau de gingembre de 2,5 cm
     (1 po), pelé et haché fin
1 grosse gousse d'ail, hachée fin
1 piment rouge, épépiné et haché fin
1 bâton de citronnelle, haché très fin
2 c. à soupe de sauce soja
1 1/2 c. à soupe de sauce de poisson
2 c. à thé (café) d'huile de sésame

Pour servir
Salade asiatique : lanières de
     concombre, oignons verts émincés
     et feuilles de coriandre
Sauce au piment doux ou sauce satay,
     pour tremper

Brochettes de bœuf

Ces brochettes peuvent aussi être marinées avec la Pâte de cari verte thaïlandaise (page 37), mélangée à un peu de lait de coco.

Donne 12 brochettes (servir 6 en entrée)

12 brochettes de bois ou de métal

Mettre tous les ingrédients de la marinade dans un bol et mélanger. Ajouter la viande et remuer. Couvrir et mettre au réfrigérateur 1 heure. Sortir les lanières de viande de la marinade et les enfiler sur les brochettes.

(C) Étaler un sac de congélation sur une assiette et y mettre les brochettes, côte à côte. Congeler, puis enlever l'assiette et fermer le sac.

(D) Laisser dégeler toute une nuit au réfrigérateur.

(M) Réchauffer une grande plaque chauffante ou une poêle. Badigeonner les brochettes d'un peu d'huile végétale, puis les faire griller 4 à 5 minutes, en les tournant de temps à autre et en appuyant avec une pelle.

(S) Servir avec une salade de style asiatique et une sauce satay ou au piment.

500 g (1 lb 2 oz) d'agneau haché
1 c. à thé (café) de cumin moulu
1/2 c. à thé (café) de coriandre moulue
3/4 de c. à thé (café) de piment fort
1/2 c. à thé (café) d'origan
1 c. à thé (café) de feuilles de thym frais
1 c. à thé (café) de flocons de sel de mer

Pour servir
6 pains pita
250 ml (1 tasse) de yogourt nature
1/2 concombre, épépiné et râpé
1 petite gousse d'ail, écrasée
1/2 oignon rouge, émincé
Feuilles de menthe, hachées
Graines de 1 grenade
Quartiers de lime
6 petites brochettes de bois

Brochettes d'agneau

Vous pouvez faire griller ces brochettes sur le barbecue.

Donne 6 brochettes

Dans un bol, bien mélanger les ingrédients des brochettes. Diviser en six portions égales et les façonner en forme de saucisse autour d'une petite brochette de bois.

(C) Étaler un sac de congélation sur une assiette et y glisser les brochettes, côte à côte. Congeler, puis enlever l'assiette et fermer le sac.

(D) Laisser dégeler 4 à 5 heures au réfrigérateur.

(M) Faire griller les brochettes 10 minutes, en les tournant, jusqu'à ce qu'elles soient bien cuites. Pendant ce temps, réchauffer les pains pita. Mélanger le yogourt, le concombre, l'ail, le sel et du poivre. Servir les brochettes garnies d'oignon rouge, de feuilles de menthe et de graines de grenade et accompagnées de pain et de quartiers de lime.

Viandes et poissons à décongeler

On trouve de nombreux poissons, fruits de mer, viandes et volailles en sac dans les supermarchés, portant la mention « peut être cuit congelé ». Lorsque nous voulons cuisiner mais que nous manquons de temps, c'est une excellente solution. Ils sont faciles d'emploi, sûrs et généralement sans additifs (vérifier les ingrédients s'il y a lieu). Il suffit de faire cuire ces morceaux généralement surgelés individuellement un peu plus longtemps que la viande fraîche. On peut espérer qu'on en retrouve de plus en plus sur le marché, particulièrement de la volaille élevée en liberté et de la viande de bonne qualité.

Si vous le préférez, vous pouvez bien sûr congeler vous-même votre viande dans des emballages faciles à utiliser. Vous aurez un plus grand choix ! Les galettes de hamburgers, les saucisses et les côtelettes ne sont que quelques exemples.

Congelez les pièces de viande individuellement, à plat ou côte à côte, plutôt qu'empilées. Sinon, vous aurez du mal à les faire cuire de façon égale, et surtout, de part en part. Enveloppez bien les paquets pour éviter les brûlures de congélation. Vous pouvez aussi demander à votre boucher de les préparer de la taille voulue, puis de les emballer sous vide.

Tous les ingrédients des recettes de ce chapitre peuvent être cuits congelés, mais vous pouvez également les utiliser frais. Vous n'avez qu'à réduire légèrement le temps de cuisson. Tous ces plats peuvent être congelés une fois cuits. Assurez-vous de les dégeler au réfrigérateur durant la nuit, puis de bien les réchauffer.

Cari de poulet et de courge musquée à la noix de coco

1 c. à soupe d'huile de sésame

3 cubes de Pâte de cari verte
thaïlandaise (page 37) ou 2 c. à soupe
de pâte de cari en bocal

1/2 c. à thé (café) de coriandre moulue

1/2 c. à thé (café) de curcuma

400 g (14 oz) de morceaux de poulet
congelé (ou de poulet frais)

400 ml (1 2/3 tasse) de lait de coco
en boîte

300 g (10 1/2 oz) de courge musquée
congelée (ou fraîche), en morceaux

2 tomates mûres, hachées, ou une
poignée de tomates cerises

250 g (9 oz) de pousses de bambou
en boîte, égouttées et rincées
(facultatif)

2 c. à soupe de sauce de poisson

Un généreux filet de jus de citron
(ou de lime)

Pour servir

Riz basmati

1 c. à soupe de coriandre fraîche,
hachée (facultatif)

Le repas rapide et moderne par excellence ! Eh oui, on peut vraiment y mettre du poulet et de la courge musquée congelés ! Achetez du poulet surgelé en morceaux de taille uniforme, pour que la cuisson se fasse de façon égale. Vous pouvez utiliser des crevettes crues congelées au lieu du poulet. Si vous avez des restes, congelez-les afin de les dégeler et de les réchauffer ultérieurement.

Donne 2 ou 3 portions

Réchauffer l'huile dans une casserole, ajouter la pâte de cari et faire dégeler doucement (ou réchauffer la pâte de cari en bocal 1 minute).

Ajouter la coriandre et le curcuma, et poursuivre la cuisson sur feu moyen 1 à 2 minutes. Ajouter les morceaux de poulet et la moitié du lait de coco, et porter à ébullition. Réduire la chaleur et laisser mijoter 10 minutes.

Incorporer la courge musquée, les tomates et le reste du lait de coco, et porter de nouveau à ébullition. Diminuer la chaleur et faire mijoter encore 10 à 15 minutes, jusqu'à ce que la courge soit tendre et le poulet bien cuit. Ajouter les pousses de bambou lors des 5 dernières minutes de cuisson. Incorporer la sauce de poisson et le jus de citron, au goût. Servir avec du riz basmati et garnir de coriandre hachée.

Ragoût de fruits de mer à la portugaise

Inspirée de la cataplana traditionnelle, cette recette requiert un sac de fruits de mer à faire cuire congelés, ce qui la rend très pratique pour le repas du soir. Servez ce ragoût avec du pain à l'ail ou une salade.

Donne 4 portions

1 c. à soupe d'huile d'olive

1 oignon rouge, en quartiers, ou 3 poignées d'oignons hachés congelés

2 poivrons, épépinés et coupés en morceaux (ou des tranches de poivron congelé, à ajouter avec le coulis de tomates)

400 g (14 oz) de pommes de terre nouvelles, en dés

1 à 2 pincées de chili broyé

2 feuilles de laurier

1 filet de vin blanc

340 g (1 1/2 tasse) de coulis de tomates à l'ail et aux oignons

250 ml (1 tasse) de bouillon de poulet ou de légumes

400 g (14 oz) de fruits de mer crus surgelés (crevettes, moules, pétoncles et calmars) ou frais

1 poignée de persil haché (facultatif)

Pour servir

Pain à l'ail ou salade

Réchauffer l'huile d'olive dans un wok ou une grande poêle, et faire sauter l'oignon et les poivrons 5 minutes sur feu moyen. Ajouter les pommes de terre et poursuivre la cuisson 7 minutes. Incorporer le chili, les feuilles de laurier et le vin, puis ajouter le coulis de tomates et le bouillon. Remuer et porter à ébullition. Réduire la chaleur et faire mijoter 15 minutes.

Ajouter les fruits de mer et faire cuire 8 à 10 minutes, jusqu'à ce que les pommes de terre soient tendres et les fruits de mer cuits de part en part. Ajouter le persil et servir.

Petits pâtés au poisson

375 g (3/4 de lb) de pâte feuilletée
enroulée

Lait, pour badigeonner

2 œufs

1 noix de beurre

1 filet d'huile

1 oignon, haché fin, ou 3 poignées
d'oignons hachés congelés

6 champignons, en quartiers

Environ 750 ml (3 tasses) de Sauce au
fromage de la page 22 ou de sauce
du commerce

1 1/2 c. à thé (café) de moutarde
de Dijon

800 g (1 3/4 lb) de mélange pour pâté
au poisson congelé ou de filets de
poisson frais, fumé et non fumé,
coupés en morceaux

200 g (7 oz) de grosses crevettes crues
congelées

2 c. à thé (café) de petites câpres
(facultatif)

2 c. à soupe combles de persil, haché

J'adore les petits pâtés individuels. Toutefois, je ne sais pas si vous êtes comme moi, je n'ai jamais assez de ramequins allant au four. Alors, pour cette recette, j'ai triché ! Choisissez n'importe quels bols ou récipients, du moment qu'on puisse les mettre au four. Si vous utilisez de la pâte et de la sauce au fromage congelées, sortez-les du congélateur le matin. Vous pourrez faire cuire le poisson et les crevettes à l'état congelé, et ainsi créer un élégant pâté au poisson en quelques minutes.

Donne 4 à 6 portions, selon la dimension des ramequins

Préchauffer le four à 220 °C/425 °F/gaz 7. Dérouler la pâte et découper 4 à 6 cercles ou autres formes pour couvrir les ramequins. Huiler une plaque à pâtisserie ou la tapisser de papier sulfurisé. Déposer les formes sur la plaque et les entailler en croisillons. Badigeonner de lait et mettre au four 12 à 15 minutes. Sortir du four et garder au chaud.

Pendant ce temps, faire bouillir les œufs 6 à 8 minutes et préparer la sauce. Réchauffer le beurre et l'huile dans une casserole. Une fois le beurre fondu, ajouter l'oignon et l'attendrir sur feu doux 3 à 4 minutes. Ajouter les champignons et poursuivre la cuisson 2 à 3 minutes. Incorporer la sauce au fromage, la moutarde et du poivre noir moulu. Porter à faible ébullition. Ajouter le poisson et les crevettes, et faire mijoter environ 10 minutes, en remuant de temps à autre.

Sortir les œufs et les rincer à l'eau froide, puis les peler et les hacher grossièrement. Mettre dans la casserole avec les câpres et le persil. Quand les crevettes et le poisson sont cuits et bien chauds, répartir la préparation dans les ramequins, puis couvrir avec la pâte cuite.

Soupe aux crevettes et aux nouilles

Il n'y a rien de mieux lorsqu'on surveille son alimentation ou qu'on a envie d'un repas léger. Parfumée et remplie de légumes croquants, cette soupe est un véritable remontant.

Donne 2 portions

2 c. à soupe d'huile d'arachide
ou de tournesol
2 cubes de Pâte de cari verte
thaïlandaise congelée (page 37)
ou 1 c. à soupe comble de pâte de cari
du commerce
5 champignons café ou shiitakes,
en quartiers (ou 2 poignées de
champignons tranchés congelés)
400 ml (1 2/3 tasse) de bouillon
de poulet
150 g (5 oz) de crevettes surgelées
(avec la mention « cuire congelé »)
2 poignées de légumes à sauter
(mini-épis de maïs, pois mange-tout,
poivrons ou mélange de légumes
congelés)
1 c. à soupe de sauce de poisson
Jus de 1 lime
175 g (6 oz) de nouilles de riz précuites
2 oignons verts, émincés

Réchauffer l'huile dans une casserole, ajouter la pâte de cari et faire dégeler doucement (ou réchauffer la pâte de cari en bocal 1 minute). Ajouter les champignons et faire revenir 2 minutes. Verser le bouillon et porter à faible ébullition, puis incorporer les crevettes. Quand le bouillon recommence à bouillir, ajouter les légumes. Faire cuire encore 3 à 5 minutes, jusqu'à ce que les crevettes soient bien cuites. Ajouter la sauce de poisson et le jus de lime.

Réchauffer les nouilles selon les indications sur l'emballage. Les répartir dans deux bols.

Côtelettes de porc à la moutarde, aux pommes et au cidre

1 c. à soupe d'huile d'olive

2 noix de beurre

4 côtelettes de porc de 200 g (7 oz) chaque, assez épaisses, avec l'os

1 petit oignon, haché, ou 2 poignées d'oignons hachés congelés

250 g (9 oz) de pommes à cuire, pelées et tranchées, congelées ou non

2 gousses d'ail, hachées

8 feuilles de sauge

250 ml (1 tasse) de cidre sec

1 1/2 c. à soupe comble de moutarde à l'ancienne

250 ml (1 tasse) de bouillon de poulet chaud

2 c. à soupe de crème 35 % M.G. ou de double-crème (facultatif)

Pour servir

Pommes de terre au four

Le fait d'utiliser des côtelettes congelées dans un plat braisé fonctionne très bien, puisqu'on attendrit le porc dans la sauce, ce qui l'empêche de s'assécher. Assurez-vous que les côtelettes n'ont pas été congelées empilées les unes sur les autres. Si vous avez des restes, congelez-les en vue d'une consommation ultérieure.

Donne 4 portions

Préchauffer le four à 160 °C/325 °F/gaz 3.

Réchauffer l'huile avec 1 noix de beurre dans une poêle et faire griller les côtelettes congelées à feu vif, environ 5 minutes de chaque côté. Assaisonner et mettre dans une cocotte.

Faire fondre la deuxième noix de beurre dans la poêle et faire revenir l'oignon 5 minutes. Ajouter les pommes, l'ail et la sauge, et faire sauter 2 à 3 minutes. Mettre dans la cocotte.

Verser le cidre dans la poêle et porter à ébullition, en grattant le fond pour prélever toutes les saveurs. Ajouter la moutarde et remuer, puis verser sur le porc et les pommes, avec le bouillon. Couvrir et mettre au four 1 1/2 heure.

Retirer les côtelettes et les garder au chaud dans un plat. Faire réduire la sauce à feu moyen environ 5 minutes. Incorporer la crème, assaisonner, et servir avec les côtelettes et des pommes de terre au four.

Risotto aux asperges et aux petits pois

1 noix de beurre, plus 2 c. à soupe pour incorporer à la fin

2 c. à thé (café) d'huile d'olive

1/2 oignon, pelé et haché, ou 2 poignées d'oignons hachés congelés

4 champignons, en quartiers, ou 1 poignée de champignons tranchés congelés

1 gousse d'ail

200 g (7 oz) de riz carnaroli, arborio ou autre riz pour risotto

1 filet de vin blanc (facultatif)

600 à 750 ml (2 1/3 à 3 tasses) de bouillon de légumes chaud

100 g (3/4 de tasse) de petits pois congelés

150 g (5 oz) d'asperges congelées ou non, cassées en deux

2 c. à soupe de parmesan râpé

Le risotto peut être adapté en fonction de ce que nous avons sous la main. Celui-ci est coloré et très santé. Ajoutez-y du poulet ou des crevettes pour une version non végétarienne. Si vous n'avez pas d'asperges, remplacez-les par des fèves, congelées ou non.

Donne 2 à 3 portions

Réchauffer le beurre et l'huile dans une grande poêle profonde, et faire revenir l'oignon à feu doux 3 à 4 minutes. Ajouter les champignons et l'ail, et faire sauter 1 à 2 minutes. Incorporer le riz et poursuivre la cuisson 2 minutes, puis verser le filet de vin ou une louche de bouillon. Remuer jusqu'à absorption du liquide. Verser le bouillon, 150 à 200 ml (2/3 à 3/4 de tasse) à la fois, et laisser bouillonner en remuant de temps à autre, jusqu'à ce qu'il soit entièrement absorbé par le riz.

Lorsqu'il ne reste que 200 ml (7/8 de tasse) de bouillon, goûter le riz. S'il est encore croquant, ajouter un peu de bouillon et faire cuire un peu plus longtemps. Ajouter les petits pois et les asperges avec la dernière quantité de bouillon. Laisser cuire quelques minutes, puis retirer du feu. Le risotto devrait être crémeux et soyeux, pas trop liquide ni trop sec (ajouter du bouillon au besoin). Assaisonner, puis incorporer le parmesan et le beurre. Laisser reposer 5 minutes et servir dans des bols.

Saucisses aux lentilles vertes du Puy

12 saucisses congelées

2 poivrons rouges, épépinés et tranchés, ou 2 poignées de poivrons tranchés congelés

2 oignons rouges, pelés et en quartiers

2 c. à soupe d'huile d'olive

1 litre (4 tasses) de bouillon de bœuf chaud

Pour ce plat, achetez des saucisses de la meilleure qualité possible. Les saucisses de gibier conviennent très bien, tout comme les saucisses épicées. Demandez à votre boucher de les emballer côte à côte, ou congelez-les à découvert individuellement. Si vous avez des saucisses décongelées, réduisez le temps de cuisson au début.

Donne 4 à 6 portions

1 c. à thé (café) de moutarde sèche

1 1/2 c. à soupe de purée de tomates

2 gousses d'ail, écrasées

200 g (1 tasse) de lentilles vertes
   du Puy

2 brins de romarin

2 feuilles de laurier

Préchauffer le four à 180 °C/350 °F/gaz 4.

Disposer les saucisses dans un plat à rôtir de taille moyenne, et faire légèrment dorer au four 35 minutes. Sortir du four et ajouter les poivrons, les oignons et l'huile.

Mélanger, puis remettre au four 10 minutes. Mélanger le bouillon, la moutarde, la purée de tomates, l'ail et du poivre moulu dans un grand récipient. Répandre les lentilles sur les saucisses, ajouter les herbes et verser le bouillon. Remuer, puis faire cuire au four sans couvrir 35 à 40 minutes, en retournant les saucisses et les lentilles dans leur jus à mi-cuisson.

Cassoulet de porc

Ce repas demande peu de préparation mais donne l'impression d'avoir été cuisiné des heures durant. Le porc doit avoir été congelé en morceaux individuels pour qu'il cuise uniformément. Achetez-le donc en sac (à cuire congelé) ou congelez-le vous-même sur une plaque avant de le mettre en sac.

Donne 4 portions

1 c. à soupe d'huile végétale

1 gros oignon, pelé et en quartiers,
   ou 3 poignées d'oignons congelés

450 g (1 lb) de jarret de porc en dés,
   congelé ou non

1 morceau de 4 cm (1 1/2 po) de
   gingembre, pelé et haché

1 grosse gousse d'ail, hachée

3 carottes, pelées et hachées

1 pomme à cuire moyenne, pelée,
   évidée et tranchée, ou 1 poignée de
   tranches de pommes congelées

100 ml (3 1/2 oz) de vin blanc

1 c. à soupe de sauce Worcestershire

3 c. à soupe de miel clair

1 c. à soupe de sauce soja

300 ml (1 1/4 tasse) de bouillon
   de légumes

6 champignons, tranchés, ou
   2 poignées de champignons tranchés
   congelés

400 g (14 oz) de flageolets en conserve,
   égouttés et rincés

1 grosse courgette, émincée

Préchauffer le four à 150 °C/300 °F/gaz 2. Réchauffer l'huile dans une cocotte à fond épais et attendrir l'oignon sur feu moyen 5 minutes. Augmenter la chaleur et faire sauter le porc 5 minutes avec l'oignon. Ajouter le gingembre, l'ail, les carottes et les tranches de pomme. Poursuivre la cuisson 5 minutes. Verser le vin, la sauce Worcestershire, le miel, la sauce soja et le bouillon. Assaisonner, remuer et porter à ébullition. Couvrir et mettre au four 1 heure.

Sortir du four et ajouter les champignons, les flageolets et la courgette. Remuer, couvrir et remettre au four 30 minutes, jusqu'à ce que le porc soit tendre. Vérifier l'assaisonnement et servir.

Poitrine de porc
avec fenouil et échalotes

1,8 à 1,9 kg (3 3/4 à 4 lb) de poitrine de
   porc désossée ou 2,3 kg (4 1/2 lb) avec
   l'os, gras incisé, congelée à plat
3 c. à thé (café) combles de flocons de
   sel de mer
1 c. à thé (café) de graines de fenouil
Zeste de 1 citron
350 ml (1 1/2 tasse) de cidre sec,
   incluant 1 filet pour la sauce
1 gros bulbe de fenouil, paré, évidé
   et coupé en quartiers
5 carottes moyennes, coupées en deux
   ou en quatre sur la longueur
12 échalotes, pelées
3 gousses d'ail, non pelées et écrasées
   avec le plat d'un couteau
200 à 400 ml (3/4 à 1 2/3 tasse)
   de bouillon de poulet

Pour la sauce
3 c. à thé (café) de miel clair
2 c. à thé (café) de sauce soja
1 c. à thé (café) de compote de pommes

Pour servir
Chou vapeur
Purée de pommes de terre
Compote de pommes (page 18)

**Si vous avez une pièce de porc non congelée, recouvrez-la de la
préparation citronnée avant de la mettre au four, la couenne vers le haut,
et éliminez la première étape de cuisson.**

Donne 4 à 6 portions

Préchauffer le four à 230 °C/450 °F/gaz 8.

Étendre la poitrine de porc, couenne dessous, sur la grille d'un grand plat
à rôtir. Faire rôtir 25 minutes sur la grille supérieure du four. Pendant ce
temps, à l'aide d'un pilon et d'un mortier, broyer la moitié des flocons
de sel avec les graines de fenouil, le zeste de citron et une bonne quantité
de poivre moulu. Sortir le porc du four et le frotter avec le mélange citronné.
Retourner la pièce pour que la couenne soit en haut, et saupoudrer avec
le reste du sel, en utilisant le dos d'une cuillère pour le frotter. Baisser la
température du four à 150 °C/300 °F/gaz 2, verser le cidre au fond du plat
à rôtir (pas sur la viande, sinon la couenne ne grillera pas), puis remettre
au four 1 heure, sur la grille du milieu.

Mettre le fenouil, les carottes, les échalotes et l'ail au fond du plat, sous le porc.
Verser 300 ml (1 1/4 tasse) de bouillon de poulet sans mouiller la viande
et cuire 1 3/4 heure. Vérifier de temps à autre s'il reste assez de liquide,
et ajouter du bouillon au besoin.

Sortir le plat du four et augmenter la chaleur à 230 °C/450 °F/gaz 8. Retirer la
grille et le porc du plat, déposer dans un autre plat à rôtir et remettre au four
20 à 30 minutes (si la couenne n'est pas assez grillée, retirer simplement le
gras et la peau, et faire griller jusqu'à ce que ce soit croustillant).

Entre-temps, à l'aide d'une cuillère à égoutter, mettre les légumes dans un plat
chaud, en réservant le liquide. Couvrir et garder au chaud. Sortir le porc du
four, le déposer sur une planche, couvrir d'une feuille d'aluminium sans serrer
et laisser reposer. Mettre le plat de cuisson des légumes sur le feu, ajouter
1 filet de cidre et racler le fond. Verser un peu plus de bouillon au besoin, le
miel, la sauce soja et la cuillerée de compote de pommes. Assaisonner et faire
mijoter 10 minutes, puis ajouter le jus de cuisson du porc et passer au-dessus
d'un récipient. Servir le porc avec les légumes grillés, du chou, de la purée
de pommes de terre, de la sauce, de la compote de pommes et beaucoup de
couenne grillée !

Plats préparés à l'avance

Bœuf Wellington

1 filet d'huile d'olive

900 g (2 lb) de filet de bœuf, d'une épaisseur égale d'environ 10 cm (4 po)

250 g (9 oz) de champignons café, hachés très fin

1 grosse gousse d'ail, hachée fin

1 c. à soupe de madère

500 g (1 lb) de pâte feuilletée pur beurre, dégelée

Farine, pour saupoudrer

6 tranches de jambon de Parme

1/2 c. à thé (à café) de moutarde sèche anglaise

1 œuf battu, pour badigeonner

Pour servir

Sauce madère (page 24)

Pommes de terre nouvelles au beurre

Haricots verts ou salade verte

Un plat principal idéal pour les grandes occasions. Servez-le avec la Sauce madère de la page 24.

Donne 4 à 6 portions

Assaisonner toute la surface du bœuf de poivre noir. Verser un filet d'huile dans une poêle à fond épais très chaude. Lorsque l'huile fume, y déposer la pièce de viande et la faire dorer 5 à 10 secondes de chaque côté, sans oublier les extrémités. Déposer sur une planche pour refroidir complètement.

Faire sauter les champignons dans la poêle à feu moyen, environ 5 minutes, en remuant de temps à autre. Ajouter l'ail, remuer durant 1 minute, puis verser le madère du sel et du poivre. Poursuivre la cuisson jusqu'à ce que le liquide soit évaporé. Mettre dans un bol et laisser refroidir.

Abaisser la pâte feuilletée sur une surface farinée, à 3 ou 4 mm (1/8 de po) d'épaisseur. Découper aux dimensions du filet de bœuf. Étaler 4 tranches de jambon côte à côte sur la pâte de manière à ce qu'elles se touchent. À l'aide d'une cuillère, déposer la plus grande partie du mélange de champignons sur le jambon et l'étaler en tapotant. Saupoudrer le bœuf de moutarde sèche et le frotter, puis le déposer sur les champignons, au centre du rectangle de pâte. Étaler le reste des champignons sur le filet en tapotant, puis étendre les 2 dernières tranches de jambon le long de la pièce de viande. Rabattre soigneusement les tranches de jambon sur le bœuf pour le recouvrir. Tailler la pâte, badigeonner les bords d'œuf battu et envelopper délicatement le bœuf. Déposer sur une plaque à rôtir tapissée de papier sulfurisé, les plis en dessous. Badigeonner toute la pâte d'œuf battu.

(C) Faire congeler à découvert sur la plaque à rôtir. Lorsque le bœuf est congelé, le glisser délicatement dans un sac et garder au congélateur jusqu'à utilisation.

(D) Laisser dégeler environ 24 heures au réfrigérateur avant de faire cuire.

(M) Préchauffer le four à 220 °C/425 °F/gaz 7. Sortir le bœuf du réfrigérateur et le mettre sur une plaque à rôtir. Laisser reposer 20 minutes à la température ambiante, puis cuire au four 30 à 35 minutes, jusqu'à ce que la pâte soit dorée. Sortir du four et laisser reposer 5 à 10 minutes avant de découper en tranches épaisses. Servir avec la Sauce madère (page 24), des pommes de terre nouvelles au beurre et des haricots verts ou une salade verte.

Tajine d'agneau aux pruneaux

1 c. à thé (café) de graines de coriandre

1 c. à thé (café) de graines de cumin

1/2 c. à thé (café) de paprika (piquant)

1/2 c. à thé (café) de cannelle moulue

2 c. à soupe d'huile d'olive

2 oignons, en quartiers

800 g (1 3/4 lb) d'agneau, en morceaux

4 gousses d'ail, écrasées

300 ml (1 1/4 tasse) de bouillon
  d'agneau

400 g (14 oz) de tomates en conserve

300 g (10 1/2 oz) de patates douces,
  pelées et en dés

12 pruneaux prêts à manger,
  dénoyautés

2 c. à thé (café) de miel clair

1 pincée de safran, trempé dans
  1 c. à soupe d'eau (facultatif)

Pour servir

Couscous aux herbes

J'aime bien la combinaison de fruits, de viande et d'épices de ce plat, ainsi que sa sauce savoureuse et le couscous aux herbes. Pour ce tajine, j'utilise une coupe de viande bon marché. C'est un des plats favoris de ma famille. Mon bébé en consomme même une version en purée!

Donne 4 portions

Écraser les graines de coriandre et de cumin dans un mortier. Mélanger dans un bol avec le paprika, la cannelle et la moitié de l'huile. Y mettre l'agneau et l'enrober du mélange d'épices.

Réchauffer le reste de l'huile dans une casserole ou une cocotte à fond épais sur feu moyen, et faire revenir les oignons jusqu'à ce qu'ils commencent à être tendres et dorés. Augmenter la chaleur et faire dorer l'agneau de tous côtés. Ajouter l'ail et faire sauter 2 minutes, puis incorporer le bouillon et les tomates. Assaisonner, couvrir et faire mijoter doucement 1 heure.

Ajouter les patates douces, les pruneaux, le miel et le safran, et poursuivre la cuisson 45 minutes, jusqu'à ce que la viande soit tendre.

(C) Mettre dans un contenant, laisser refroidir, puis couvrir, étiqueter et congeler.

(D) Laisser dégeler une nuit au réfrigérateur.

(R) Mettre le tajine dans une casserole, porter à ébullition et faire mijoter doucement 15 minutes, pour qu'il soit très chaud. Servir avec le couscous aux herbes.

Pommes de terre au fenouil et aux poireaux

3 c. à soupe de beurre

2 bulbes de fenouil, parés et émincés

2 gros poireaux, parés et émincés

1 kg (2,2 lb) de pommes de terre, pelées et en tranches de 3/4 cm (1/2 po)

2 gousses d'ail, écrasées

300 ml (1 1/4 tasse) de crème 35 % M.G. ou de double-crème

150 ml (2/3 de tasse) de lait

200 g (7 oz) de fromage bleu, émietté

Un plat tout indiqué pour les végétariens, mais également parfait pour accompagner les restes de rôti froid.

Donne 6 portions

Dans une grande casserole, faire fondre le beurre sur feu doux, puis faire revenir le fenouil et les poireaux 3 à 4 minutes. Ajouter les pommes de terre et l'ail, et poursuivre la cuisson en remuant 3 minutes. Verser la crème et le lait, et poivrer. Porter à faible ébullition et faire mijoter 20 à 25 minutes, en remuant de temps à autre pour cuire les pommes de terre à moitié. Incorporer la moitié du fromage, puis mettre le tout dans un grand plat allant au four. Parsemer du reste du fromage.

(C) Refroidir, couvrir de papier aluminium, étiqueter et congeler.

(M) Faire cuire congelé. Préchauffer le four à 150 °C/300 °F/gaz 2. Mettre le plat couvert de papier aluminium au four et faire cuire 1 à 1 1/2 heure, jusqu'à ce que ça bouillonne et que les pommes de terre soient tendres (piquer avec une fourchette). Servir avec la semoule.

Poulet au chorizo, poivrons et olives

2 c. à soupe d'huile d'olive

225 g (1/2 lb) de chorizo cuit, peau enlevée et haché

1 kg (2,2 lb) de de poulet désossé et sans peau, en bouchées

1/2 c. à thé (café) de paprika doux

1 filet de vin blanc

150 g (5oz) de poivrons rouges rôtis, égouttés et en lanières

700 à 800 ml (3 tasses) de Sauce tomate de base (page 33)

2 brins de romarin

Environ 3 c. à soupe d'olives noires dénoyautées

Un souper rapide, qu'on peut congeler en prévision d'une soirée entre amis.

Donne 6 à 8 portions

Réchauffer l'huile dans une grande poêle profonde et faire dorer la chair de chorizo. Mettre dans une assiette. Faire dorer le poulet à feu vif (en deux fois s'il le faut). Remettre la chair de chorizo dans la poêle avec le poulet et le paprika. Verser le vin et laisser mijoter 2 minutes. Ajouter les poivrons, la sauce tomate, le romarin, du sel et du poivre. Poursuivre la cuisson environ 15 minutes, pour que le poulet soit bien cuit. Incorporer les olives en remuant.

(C) Mettre dans des contenants et refroidir, puis couvrir, étiqueter et congeler.

(D) Laisser dégeler une nuit au réfrigérateur.

(R) Réchauffer dans une casserole à feu doux, en remuant de temps à autre.

Crêpes au poulet, au taleggio et aux épinards

Pour la sauce

50 g (1/2 tasse) de farine

50 g (1/4 de tasse) de beurre

500 ml (2 tasses) de lait

200 g (7 oz) de fromage taleggio, en dés de 1 à 2 cm (1 1/2 à 1 3/4 po)

Pour la garniture

1 noix de beurre

1 filet d'huile

1 petit oignon, haché

800 g (1 3/4 lb) de cuisses de poulet désossées et sans peau, en petits morceaux

2 gousses d'ail, écrasées

350 g (3/4 de lb) de champignons, en tranches épaisses

2 pincées d'origan

1 filet de vin blanc

200 g (7 oz) d'épinards surgelés, cuits et égouttés

150 ml (2/3 de tasse) de bouillon de poulet

8 Crêpes (page 30)

Si vous ne trouvez pas de fromage taleggio, prenez du cheddar ou du gruyère. Vous pouvez aussi utiliser des épinards frais, cuits et égouttés. Préparez une double quantité de mélange à Crêpes (page 30), et congelez tout surplus (pâte ou crêpes cuites).

Donne 8 crêpes (4 portions)

Mettre la farine, le beurre et le lait dans une casserole, et battre au fouet sur feu doux jusqu'à épaississement. Retirer du feu et incorporer la moitié du taleggio et une bonne quantité de poivre noir moulu. Remuer à l'aide d'une cuillère de bois pour faire fondre, puis réserver.

Pour la garniture, réchauffer le beurre et l'huile dans une casserole et faire revenir l'oignon à feu doux 5 minutes. Faire saisir le poulet avec l'oignon. Ajouter l'ail, les champignons et l'origan, et poursuivre la cuisson 2 minutes. Verser le vin, faire mijoter 1 à 2 minutes, puis ajouter la moitié de la sauce au fromage, les épinards et le bouillon. Assaisonner et faire mijoter 2 minutes. Laisser refroidir.

Répartir la garniture entre les crêpes et les rouler. Placer les crêpes fourrées dans un plat et les napper avec le reste de la sauce au fromage. Parsemer de taleggio.

(C) Couvrir d'une pellicule plastique et de papier aluminium, étiqueter et congeler.

(D) Laisser dégeler une nuit au réfrigérateur.

(R) Préchauffer le four à 180 °C/350 °F/gaz 4. Couvrir le plat de papier aluminium et faire cuire 40 à 50 minutes, pour qu'il soit bien chaud. Faire ensuite dorer sous le gril.

Pâté au poulet et au jambon

500 g (1 lb) de pâte feuilletée pur beurre, dégelée

Farine, pour saupoudrer

2 tranches épaisses de jambon cuit, en lanières

1 c. à soupe comble d'estragon frais, haché fin

1/2 quantité de Poulet aux herbes et au vin blanc (page 35)

1 œuf, battu

Un plat tout ce qu'il y a de plus réconfortant, débordant de légumes savoureux dans une riche sauce aux herbes. Vous pouvez utiliser une partie du Poulet aux herbes et au vin blanc congelé de la page 35. Décongelez-le, puis assemblez le pâté et mangez-le aussitôt (sans le recongeler). Sinon, préparez la garniture, laissez-la refroidir et préparez le pâté. Faites-le congeler non cuit, afin de le dégeler et de le faire cuire à une date ultérieure.

Donne 4 portions

Abaisser la pâte sur une surface farinée. Tailler un morceau de pâte assez grand pour couvrir le moule. Découper une lanière de 2 cm (3/4 de po) de largeur dans les retailles pour faire le bord du plat (elle peut être en plusieurs morceaux). Humidifier cette lanière et la coller en bordure du moule.

Mélanger le jambon et l'estragon dans la garniture au poulet, puis en remplir le moule. Humidifier le bord de l'abaisse et la déposer sur le moule. Couper ce qui dépasse et appuyer pour sceller. Décorer le dessus avec des formes de pâte (facultatif), puis badigeonner d'œuf battu. Pratiquer une petite incision sur le dessus pour laisser échapper la vapeur. Congeler (si la garniture n'était pas congelée) ou faire cuire dans les 4 heures suivantes (en gardant le pâté au réfrigérateur en attendant).

(C) Couvrir le plat, étiqueter et congeler.

(D) Laisser dégeler une nuit au réfrigérateur.

(M) Sortir du réfrigérateur 20 minutes avant de faire cuire. Préchauffer le four à 190 °C/375 °F/gaz 5. Faire cuire 30 à 35 minutes, jusqu'à ce que le pâté soit bien chaud et doré.

Croquettes de crabe avec salade d'avocat et d'agrumes

450 g (1 lb) de pommes de terre, pelées et coupées en gros morceaux

150 g (5 oz) de filet de morue ou d'aiglefin, sans peau

150 ml (2/3 de tasse) de lait entier

2 c. à soupe de beurre

4 oignons verts, parés et hachés

1 grosse gousse d'ail

1 c. à soupe comble de farine

Zeste de 1 lime et jus de 1/2 lime

2 pincées de poivre de Cayenne

340 g (3/4 de lb) de crabe en conserve, égoutté, ou 240 g (1/2 lb) de chair blanche de crabe frais (n'ayant pas été congelé)

2 c. à soupe de coriandre fraîche, hachée

5 à 6 c. à soupe de semoule

Huile végétale, pour faire frire

Pour la salade

1 avocat, pelé, dénoyauté et émincé

1 orange, en quartiers

1 pamplemousse rose, en quartiers

2 ou 3 poignées de feuilles de salade

1 à 2 c. à soupe d'huile d'olive

J'aime bien mettre une petite quantité de fruits de mer dans ces croquettes, car ils ajoutent de la texture et le liquide de cuisson donne plus de saveur. Prenez de la chair de crabe non congelée, si vous en avez. Assurez-vous toutefois qu'elle est fraîche, et qu'il ne s'agit pas de chair de crabe qui a été décongelée.

Donne 12 petites croquettes (3 par portion, ou 2 en entrée)

Faire bouillir les pommes de terre dans l'eau salée jusqu'à ce qu'elles soient tendres. Égoutter. Entre-temps, mettre le poisson et le lait dans une casserole et porter à faible ébullition. Laisser mijoter 5 minutes. Mettre le poisson cuit dans une assiette et réserver le lait. Faire fondre le beurre dans une casserole et faire revenir les oignons verts et l'ail 2 minutes. Incorporer la farine, puis le lait, et porter à ébullition. Faire mijoter 2 minutes. Ajouter les pommes de terre et réduire en purée lisse. Effeuiller le poisson et l'incorporer à la purée avec le zeste et du jus de lime. Assaisonner de sel, de poivre de Cayenne et de poivre noir moulu, et arroser de jus de lime au goût. Laisser refroidir, puis incorporer la chair de crabe et la coriandre. Mettre au réfrigérateur environ 1 heure.

Saupoudrer la moitié de la semoule sur une planche. Avec les mains mouillées, façonner le mélange en 12 croquettes. Les déposer sur la semoule et les saupoudrer avec le reste de la semoule pour bien les enrober. Mettre ensuite sur une plaque couverte de papier sulfurisé.

(C) Faire congeler à découvert, puis mettre en sac.

(M) Faire frire doucement les croquettes congelées dans l'huile 6 à 8 minutes de chaque côté, jusqu'à ce qu'elles soient dorées et bien chaudes. Mélanger les ingrédients de la salade et servir avec les croquettes de crabe.

Moussaka aux lentilles

5 c. à soupe d'huile d'olive

1 aubergine moyenne, en tranches
de 1 cm (1/2 po)

400 g (14 oz) de pommes de terre,
pelées et en tranches de 1 cm (1/2 po)

75 g (5/8 de tasse) de cheddar, râpé

Pour la sauce aux légumes et aux lentilles

1 oignon, pelé et haché

1 courgette, hachée

1 poivron rouge, haché

2 gousses d'ail, écrasées

1/2 c. à thé (café) de cannelle moulue

1 1/2 c. à soupe de purée de tomates

1 filet de vin rouge (facultatif)

700 ml (2 3/4 tasse) de coulis
de tomates à l'ail et aux herbes

400 g (14 oz) de lentilles vertes en
conserve, rincées et égouttées

1 ou 2 pincées de sucre super fin

Pour la sauce à la ricotta

50 g (1/2 tasse) de farine

50 g (1/4 de tasse) de beurre

300 ml (1 1/4 tasse) de lait

Muscade râpée

250 g (1 tasse) de ricotta

Ma belle-mère a le don de créer des plats incroyables, avec ce qu'elle a sous la main et en quelques minutes! Voici une variante végétarienne de sa savoureuse moussaka.

Donne 4 à 6 portions

Réchauffer 1 c. à soupe d'huile dans une poêle et faire sauter les tranches d'aubergine des deux côtés, pour attendrir et dorer. Déposer dans une assiette, sur un papier absorbant, pendant la cuisson des autres tranches (ajouter un peu d'huile au besoin, mais attendre que la poêle soit très chaude avant de les y déposer, sinon elles seront huileuses et ramollies). Réserver.

Réchauffer 1 c. à soupe d'huile dans une casserole et faire revenir l'oignon 1 ou 2 minutes. Faire sauter la courgette et le poivron avec l'oignon 5 minutes, puis ajouter l'ail et poursuivre la cuisson 2 minutes pour ramollir les légumes. Incorporer la cannelle et la purée de tomates, et faire cuire 1 minute ; verser le vin rouge, puis, après 1 autre minute, le coulis de tomates. Faire mijoter 10 minutes, puis ajouter les lentilles, le sucre, du sel et du poivre.

Faire bouillir les pommes de terre dans l'eau salée 3 minutes, pour qu'elles soient à moitié cuites. Égoutter et laisser refroidir.

Mettre la farine, le beurre et le lait dans une casserole et battre au fouet sur feu moyen pour faire épaissir. Assaisonner de sel, de poivre et de muscade, et laisser refroidir 5 minutes, avant d'ajouter la ricotta en battant.

Verser la moitié de la sauce aux légumes au fond d'une cocotte profonde ou d'un plat d'environ 3 litres (12 tasses). Recouvrir d'une couche de pommes de terre, puis de la moitié de la sauce au fromage. Ajouter la moitié de l'aubergine, le reste de la sauce aux légumes, le reste de l'aubergine, puis de la sauce au fromage. Couvrir du cheddar râpé.

(**C**) Refroidir. Couvrir (avec un couvercle ou du papier aluminium), étiqueter et congeler.

(**D**) Laisser dégeler au moins 24 heures au réfrigérateur. Sortir et poursuivre la décongélation à la température ambiante au besoin.

(**M**) Préchauffer le four à 190 °C/375 °F/gaz 5. Faire cuire 45 à 55 minutes, jusqu'à ce que le plat bouillonne et soit bien chaud.

Épaule d'agneau au four à cuisson lente

3,5 kg d'épaule d'agneau (7 3/4 lb),
    congelée

3 c. à soupe d'huile d'olive

6 grosses carottes, pelées et en
    morceaux de 5 cm (2 po)

4 branches de céleri, parées et en
    morceaux de 5 cm (2 po)

2 gros oignons, pelés et en moitiés

2 bulbes d'ail, coupés en deux sur
    la largeur

2 filets d'anchois

3 brins de romarin

3 feuilles de laurier

2 c. à soupe de purée de tomates

800 ml (3 1/4 tasses) de bouillon de
    poulet chaud

500 ml (2 tasses) de vin blanc

Pour la sauce

1 c. à thé (café) comble de gelée de
    groseilles rouges

1 filet de sauce soja

Pour servir

Pommes de terre au four ou Pommes
    de terre au fenouil et aux poireaux
    (page 84)

Légume vert au choix

Pour de l'agneau frais, réduisez le temps de cuisson initial à 25 minutes, puis faites-le rôtir lentement durant 3 heures plutôt que 5. Je vous suggère d'utiliser 2 épaules ; vous pouvez faire rôtir les deux, en servir une aussitôt avec le gratin de la page 84 et transformer l'autre en Pâté chinois (hachis Parmentier) des grands jours (voir page ci-contre), à congeler pour une future occasion. Vous pouvez bien entendu couper la recette en deux.

Donne 4 à 6 portions

Sortir l'agneau du congélateur 1 heure avant de commencer, et le déposer dans un grand plat à rôtir.

Préchauffer le four à 220 °C/425 °F/gaz 7. Arroser la viande d'huile, saler et poivrer. Mettre au four 35 minutes, puis diminuer la chaleur à 150 °C/300 °F/ gaz 2.

Sortir du four, soulever la viande et étaler les carottes, le céleri, les oignons, l'ail, les anchois, le romarin et les feuilles de laurier dessous. Mélanger la purée de tomates et le bouillon, et verser sur l'agneau avec le vin. Couvrir d'une feuille d'aluminium en scellant bien, et mettre au four durant 5 heures.

Sortir du four. Déposer la moitié de l'agneau dans un plat, avec la moitié des légumes et du jus de cuisson. Laisser refroidir, puis mettre au réfrigérateur pour refroidir complètement.

Verser le reste du jus de cuisson dans une petite casserole, en retirant soigneusement une partie du gras en surface. Presser un bulbe d'ail dans la casserole. Ajouter la gelée de groseilles rouges et la sauce soja, et faire mijoter quelques minutes. Passer et servir avec l'épaule d'agneau découpée, le reste des légumes, un légume vert, ainsi que des pommes de terre au four ou le gratin de la page 84.

Pâté chinois (hachis Parmentier) des grands jours

1/2 quantité d'Épaule d'agneau au four
   à cuisson lente (page ci-contre),
   refroidie
1 kg (2,2 lb) de pommes de terre, pelées
200 ml (7/8 de tasse) de lait
3 c. à soupe de beurre
Muscade râpée

Grâce à l'épaule d'agneau de la page ci-contre, transformez un pâté chinois (hachis Parmentier) ordinaire en plat de grande occasion. Pour plus de variété, utilisez un mélange de pommes de terre et de céleri-rave pour la purée. Le Mélange de bœuf haché de base (page 34) est une autre garniture possible pour ce plat. Il suffit de dégeler et de suivre les indications de cuisson (en s'assurant de ne pas recongeler).

Donne 4 à 6 portions

Retirer le plus de gras possible de la surface de la viande, puis mettre l'épaule d'agneau et les légumes dans un plat, en réservant le jus de cuisson.

Faire bouillir les pommes de terre jusqu'à ce qu'elles soient tendres. Réchauffer le lait et le beurre dans une casserole et ajouter aux pommes de terre avant de réduire en purée. Assaisonner de sel, de poivre et de muscade, et laisser refroidir complètement.

Retirer toute la viande de l'os et la couper en petits morceaux, en jetant tout le gras. Couper les légumes en petits morceaux et presser le bulbe d'ail dans le jus de cuisson. Additionner le jus d'un peu d'eau ou de bouillon pour obtenir 400 ml (1 2/3 tasse). Mettre la viande et les légumes dans un plat allant au four et verser la sauce. Couvrir de purée.

(C) Couvrir, étiqueter et congeler.

(D) Laisser dégeler une nuit au réfrigérateur.

(M) Préchauffer le four à 180 °C/350 °F/gaz 4. Faire cuire 40 à 50 minutes, jusqu'à ce que le plat bouillonne et que le dessus soit doré.

Tourte au crabe, au poisson fumé et au cresson

1/2 recette de Pâte brisée (page 28) ou 375 g (3/4 de lb) de pâte brisée du commerce
225 g (1/2 lb) de filet de morue ou d'aiglefin fumé
400 ml (1 2/3 tasse) de lait entier
1 noix de beurre
1 poireau, paré et haché
2 c. à soupe de farine
1 ou 2 pincées de poivre de Cayenne
100 g (3 1/2 oz) de chair blanche de crabe (n'ayant pas été congelée)
100 g (3 1/2 oz) de chair brune de crabe (n'ayant pas été congelée)
50 g (1 1/2 tasse) de cresson, haché
2 œufs, battus
1 moule à tarte à fond amovible de 24 cm (10 po) et de 2,5 cm (1 po) de profondeur.
Billes en céramique pour cuisson

L'ajout de crabe frais en fait un plat idéal pour recevoir en été. Assurez-vous d'utiliser de la chair de crabe qui n'a pas été congelée.

Donne 6 à 8 portions

Préchauffer le four à 190 °C/375 °F/gaz 5. Sur une surface farinée, abaisser la pâte en un grand cercle. Tapisser le moule et laisser refroidir 30 minutes.

Chiffonner du papier sulfurisé, le déplier, le mettre dans le moule et le remplir de billes pour cuisson. Faire cuire 15 minutes.

Mettre le poisson et le lait dans un plat allant au four. Couvrir de papier aluminium et faire pocher au four 20 minutes. Retirer le papier aluminium et mettre le poisson dans un plat pour qu'il refroidisse avant de l'effeuiller. Réserver le lait.

Enlever le papier et les billes du moule, et badigeonner la pâte avec un peu d'œuf battu. Remettre au four 5 minutes. Faire fondre le beurre dans une casserole et faire revenir doucement le poireau pour l'attendrir. Ajouter la farine en remuant. Incorporer peu à peu le lait réservé et porter à ébullition. Assaisonner de sel, de poivre et de poivre de Cayenne. Laisser mijoter 2 à 3 minutes, puis mettre la casserole dans l'évier rempli au quart d'eau froide. Quand la sauce est complètement froide, ajouter le crabe, le poisson émietté, le cresson et les œufs battus, et remuer délicatement avant de verser dans le moule.

(C) Congeler la tourte non cuite (dans son moule), couverte de pellicule plastique. Une fois congelée, la retirer soigneusement du moule et la glisser dans un sac.

(D) Mettre la tourte dans un moule et faire dégeler une nuit au réfrigérateur.

(M) Préchauffer le four à 180 °C/350 °F/gaz 4. Réchauffer une plaque à pâtisserie dans le four (pour éviter que la pâte ne ramollisse). Déposer la tourte sur la plaque chaude et faire cuire 30 à 40 minutes, jusqu'à ce qu'elle soit ferme et dorée. Laisser reposer quelques minutes avant de servir.

Cari d'agneau aromatique

2 filets d'huile végétale

1 bâton de cannelle de 5 cm (2 po)

12 clous de girofle

12 gousses de cardamome

3 c. à thé (café) de graines de cumin

3 oignons, en petits dés

12 gousses d'ail, écrasées

1 morceau de gingembre de 7 cm (3 po), pelé et râpé finement

800 g (1 3/4 lb) de tomates hachées en boîte

3 piments verts, fendus dans la longueur (épépinés pour un cari moins épicé)

3/4 de c. à thé (café) d'assaisonnement au chili

1 c. à thé (café) comble de flocons de sel de mer

1,5 kg (3 1/4 lb) d'agneau, en morceaux

Pour servir

1 poignée de coriandre, hachée

Dhal ou riz

Pain nan

Haricots verts vapeur au beurre, parsemés de nigelle (cumin noir)

Ce plat comprend de l'épaule d'agneau en dés, mais fonctionne aussi très bien avec du gigot. Comme c'est un cari plutôt sec, servez-le avec du dhal (plat de lentilles et d'épices) et du pain naan.

Donne 4 portions

Réchauffer l'huile dans une poêle à fond épais et ajouter les épices entières. Lorsqu'elles commencent à grésiller, faire dorer les oignons environ 8 minutes. Ajouter l'ail et le gingembre, et faire cuire encore 1 minute. Incorporer les tomates, les piments, l'assaisonnement au chili et le sel, et poursuivre la cuisson 10 à 12 minutes, afin que la sauce épaississe.

Ajouter la viande et porter à ébullition, puis verser 200 ml (7/8 de tasse) d'eau bouillante et réduire le feu pour que le liquide frémisse à peine (le secret d'une viande très tendre est de ne jamais la faire bouillir à gros bouillons). Couvrir et faire mijoter 1 1/2 à 2 heures, jusqu'à ce que l'agneau soit tendre. Vérifier de temps à autre que le cari ne s'assèche pas, et ajouter un peu d'eau au besoin.

(C) Laisser refroidir, puis mettre dans des contenants, étiqueter et congeler.

(D) Laisser dégeler une nuit au réfrigérateur.

(R) Mettre le cari dans une casserole, porter à ébullition et laisser mijoter doucement 15 minutes, pour qu'il soit bien chaud. Ajouter la coriandre et servir avec du dhal ou du riz, du pain naan et des haricots verts au beurre parsemés de nigelle.

Lasagne au bœuf et aux épinards

50 g (1/4 de tasse) de beurre

50 g (1/2 tasse) de farine

450 ml (1 3/4 tasse) de lait

300 g (10 1/2 oz) d'épinards congelés

75 g (5/8 de tasse) de cheddar fort, râpé

50 g (1/2 tasse) de parmesan, râpé

Muscade, râpée

1/4 de recette de Mélange de bœuf haché de base (page 34)

6 à 8 feuilles de lasagne

Cette recette utilise le Mélange de bœuf haché de base de la page 34. Vous pouvez faire la lasagne avec un mélange de bœuf haché fraîchement préparé et refroidi, puis congeler le plat non cuit. Ou encore, vous pouvez décongeler un contenant de mélange de bœuf haché de base, monter la lasagne et la faire cuire aussitôt. Toutefois, n'utilisez pas le mélange de bœuf dégelé pour une lasagne destinée à être congelée. Si vous cuisinez pour un grand nombre de personnes, doublez les quantités et utilisez un plat plus grand. Il faudra peut-être 10 minutes de plus au four pour que le centre du plat soit très chaud. Si vous préférez utiliser des épinards frais, il suffit d'incorporer des épinards cuits et égouttés à la sauce blanche chaude.

Donne 4 portions

Faire fondre le beurre dans une casserole sur feu doux. Ajouter la farine et cuire en remuant 2 minutes. Incorporer graduellement le lait et porter à ébullition. Ajouter ensuite les épinards et faire mijoter jusqu'à ce qu'ils soient dégelés.

Retirer la casserole du feu, mélanger les fromages et en ajouter la moitié à la sauce. Remuer pour faire fondre, puis assaisonner de muscade, de sel et de poivre. Laisser refroidir.

Lorsque la sauce a refroidi, monter la lasagne. Étaler la moitié du mélange de bœuf au fond d'un plat à lasagne de 2 litres (8 tasses), recouvrir de 3 feuilles de lasagne, puis napper d'un peu moins de la moitié de la sauce aux épinards. Ajouter 3 autres feuilles de lasagne, puis couvrir avec le reste du mélange de viande et terminer avec le reste de la sauce. Parsemer de fromage râpé. Faire cuire (si la viande a été dégelée) ou congeler (si la viande est fraîche).

(D) Laisser dégeler une nuit au réfrigérateur.

(M) Préchauffer le four à 180 °C/350 °F/gaz 4. Faire cuire la lasagne 35 à 45 minutes, jusqu'à ce qu'elle bouillonne et que le dessus soit doré.

Bœuf braisé au vin et aux champignons

25 g (1 oz) de champignons séchés
  mélangés (bolets, pleurotes,
  shiitakes ou autres)
3 c. à soupe combles de farine
1,7 kg (3 3/4 lb) de bœuf à braiser
  ou à ragoût
2 à 3 c. à soupe d'huile végétale
  (ou 1 noix de graisse de bœuf)
4 tranches épaisses de bacon fumé
  entrelardé, hachées
2 oignons rouges, pelés et en quartiers
2 branches de céleri,
  parées et émincées
2 gousses d'ail, écrasées
1 1/2 c. à soupe de purée de tomates
2 c. à soupe de gelée de groseilles
  rouges
400 ml (1 2/3 tasse) de vin rouge corsé
2 feuilles de laurier
1 brin de romarin
415 ml (1 3/4 tasse) de consommé de
  bœuf en boîte ou 400 ml (1 2/3 tasse)
  de fond de bœuf

Pour servir

1 noix de beurre
6 gros champignons de couche
  (de Paris), tranchés
2 c. à soupe de persil frais, haché
Purée de céleri-rave et de pommes de
  terre ou gratin dauphinois
Légume vert feuillu

Différentes coupes de bœuf conviennent pour cette recette, car la cuisson lente assure une viande tendre et savoureuse.

Donne 6 à 8 portions

Faire tremper les champignons séchés dans 200 ml (7/8 de tasse) d'eau chaude pendant 30 minutes. Préchauffer le four à 150 °C/300 °F/gaz 2. Saler et poivrer généreusement la farine, puis y rouler le bœuf pour l'enrober.

Réchauffer 1 c. à soupe d'huile dans une grande poêle à fond épais. Faire frire le bacon jusqu'à ce qu'il soit croustillant et réserver dans une assiette.

Ajouter un peu d'huile dans la poêle et réchauffer jusqu'à ce qu'elle fume. Mettre la moitié de la viande et faire dorer environ 3 minutes de tous côtés, en appuyant avec une pelle. Mettre dans une cocotte et faire cuire le reste de la viande, en ajoutant de l'huile au besoin.

Lorsque toute la viande cuite est dans la cocotte, réduire le feu et faire attendrir les oignons et le céleri dans la poêle 10 minutes. Presser les champignons pour en extraire le liquide dans un bol. Réserver le liquide, et ajouter les champignons et l'ail dans la poêle. Faire dorer 2 minutes, puis augmenter la chaleur et incorporer la purée de tomates, la gelée de groseilles rouges et le vin rouge. Laisser bouillonner 3 minutes, puis mettre dans la cocotte avec le bacon, les herbes, le consommé de bœuf et le liquide des champignons. Couvrir et faire cuire 3 heures au four.

(C) À l'aide d'une cuillère à égoutter, mettre la viande et les légumes dans un contenant. Ajouter du sel, du poivre ou de la gelée de groseilles rouges à la sauce au besoin. Verser sur la viande et laisser refroidir. Couvrir, étiqueter et congeler.

(D) Laisser dégeler au moins 24 heures au réfrigérateur.

(R) Préchauffer le four à 180 °C/350 °F/gaz 4. Faire fondre le beurre dans une poêle et faire dorer les champignons 3 à 4 minutes. Mettre la viande, les légumes et la sauce dans une cocotte. Ajouter les champignons, porter à faible ébullition, puis couvrir et mettre au four 25 minutes. Réduire la chaleur à 150 °C/300 °F/gaz 2, et faire cuire 45 minutes. Parsemer de persil et servir avec une purée de céleri-rave et de pommes de terre ou un gratin dauphinois et un légume vert.

Collations

Carrés double chocolat express

200 g (7/8 de tasse) de beurre, ramolli

200 g (7/8 de tasse) de sucre super fin

4 œufs

25 g (1/4 de tasse) de cacao, dissous
dans 3 à 4 c. à soupe d'eau bouillante

200 g (2 tasses) de farine à levure

1/2 c. à thé (café) de levure chimique

100 g (1/2 tasse) de pépites de chocolat
noir

Smarties, pastilles de chocolat ou
framboises fraîches, pour décorer

Pour le glaçage

1 c. à soupe de cacao, dissous
dans 2 c. à soupe d'eau bouillante

75 g (1/3 de tasse) de beurre, ramolli

200 g (1 1/3 tasse) de sucre glace

Ma belle-mère fait le meilleur gâteau au chocolat et nous la persuadons de le préparer chaque fois qu'il y a un anniversaire ! Son secret est de dissoudre le cacao dans de l'eau bouillante avant de l'ajouter au mélange. Pour un gâteau plus traditionnel, répartissez la préparation dans deux moules ronds.

Donne 12 carrés

Préchauffer le four à 180 °C/350 °F/gaz 4. Huiler et tapisser un moule de 28 x 18 x 5 cm (11 x 7 x 2 po).

Mettre le beurre, le sucre, les œufs et la pâte de cacao dans un grand bol. Tamiser la farine et la levure chimique au-dessus du bol. Fouetter 2 minutes au batteur électrique, jusqu'à consistance pâle et crémeuse.

À l'aide d'une cuillère de métal, incorporer délicatement les pépites de chocolat.

Verser le mélange dans le moule et l'étendre également.

Faire cuire 30 à 35 minutes, jusqu'à ce que la préparation soit gonflée et spongieuse. Laisser refroidir légèrement avant de renverser sur une grille.

Lorsque le gâteau a refroidi, battre les ingrédients du glaçage dans un bol. Étaler sur le gâteau, puis passer une fourchette sur la surface pour créer un motif sinueux.

(C) Placer le gâteau glacé sur une plaque ou une assiette et faire congeler à découvert. Lorsqu'il est congelé, le mettre dans un contenant ou un sac.

(D) Laisser dégeler une nuit sur une grille, puis parsemer de la garniture choisie et découper en carrés.

Biscuits congelés

375 g (3 tasses) de farine

1 c. à thé (café) comble de levure chimique

150 g (3/4 de tasse) de sucre super fin

250 g (1 1/8 tasse) de beurre, ramolli

1 œuf, battu

1 c. à thé (café) d'extrait de vanille

Pour décorer (facultatif)

Sucre glace

Jus de citron (ou eau)

Colorant alimentaire ou décorations comestibles

Ces biscuits fondent dans la bouche et sont parfaits pour les cuistots en herbe. Je propose quelques variantes, mais vous pouvez en inventer d'autres. Généralement, j'utilise une partie de la pâte immédiatement et je congèle le reste pour plus tard. Une activité tout indiquée pour les jours pluvieux !

Donne environ 40 biscuits

Tamiser la farine, la levure chimique et 1 pincée de sel dans un bol. Travailler le sucre et le beurre en crème dans un autre bol au batteur électrique. Incorporer les ingrédients secs, l'œuf et la vanille, en battant.

S'enduire les mains de farine et former une boule avec la pâte. Pour une préparation et une cuisson immédiate, rouler la pâte selon les indications ci-dessous pour former deux saucissons. Couper en rondelles de 1 cm (1/2 po) d'épaisseur et faire cuire selon les indications de cuisson ci-dessous.

Sinon, choisir l'une des trois options suivantes :

Congeler, trancher et cuire

Diviser le mélange en deux et rouler sur une surface farinée pour former deux saucissons de pâte de 4 à 5 cm (1 3/4 à 2 po) de diamètre. Envelopper chacun de pellicule plastique et congeler. Sortir la pâte du congélateur 15 minutes avant de faire les biscuits. Couper en rondelles de 1 cm (1/2 po) et faire cuire comme ci-dessous.

Découper, congeler et cuire

Former une boule, l'envelopper de pellicule plastique et mettre au réfrigérateur 20 minutes. Abaisser sur une surface farinée à environ 1 cm (1/2 po) d'épaisseur. Découper avec un emporte-pièce et faire congeler les biscuits non cuits entre des feuilles de papier sulfurisé. Faire cuire la quantité désirée à l'état congelé.

Découper, cuire et congeler

Découper les formes comme ci-dessus, faire cuire, puis congeler les biscuits. Dégeler la quantité souhaitée sur une grille.

(M) Pour cuire, préchauffer le four à 180 °C/350 °F/gaz 4. Tapisser une plaque à pâtisserie de papier sulfurisé, puis disposer les biscuits à 1 ou 2 cm (1/2 ou 3/4 de po) d'intervalle. Faire cuire 12 à 18 minutes (selon

qu'ils sont congelés ou non), jusqu'à ce que les bords commencent à être dorés. Laisser refroidir sur une grille.

Glaçage : Ces biscuits peuvent être glacés. Mélanger du sucre glace avec quelques gouttes d'eau ou de jus de citron jusqu'à consistance lisse et à peine coulante (ajouter un peu de colorant à cette étape si désiré). Glacer les biscuits refroidis, puis décorer de paillettes ou autres décorations comestibles.

Variantes : Chacune de ces variantes requiert la moitié de la quantité de la recette de biscuits. On peut séparer la pâte en 2 portions égales dans deux bols, puis utiliser une cuillère de bois pour incorporer les ingrédients additionnels.

Pistaches – Ajouter 2 c. à soupe de pistaches écalées et hachées. Former un saucisson de pâte ou abaisser et découper. On peut aussi enfoncer les pistaches dans les biscuits avant de les faire cuire.

Orange et chocolat – Ajouter 1 c. à soupe de cacao tamisé et le zeste d'une orange (ajouter plus de zeste pour un goût plus prononcé). Former un saucisson de pâte ou abaisser et découper.

Avoine et raisins – Incorporer 50 g (1/2 tasse) de flocons d'avoine et 2 c. à soupe combles de raisins secs. Former un saucisson de pâte ou abaisser et découper.

Miel et amandes – Remplacer 2 c. à soupe de sucre par 2 c. à thé (à café) de miel et ajouter 2 c. à soupe d'amandes effilées rôties. Former un saucisson de pâte ou abaisser et découper.

Barres santé à l'avoine

150 g (3/4 de tasse) de beurre

100 g (1/2 tasse) de sucre demerara
  ou de cassonade foncée

100 g (3/8 de tasse) de mélasse claire
  de canne

250 g (2 1/2 tasses) de flocons d'avoine

100 g (3 1/2 oz) de petits fruits séchés

1 pomme, pelée, évidée et râpée

1 1/2 c. à soupe de graines de sésame

Je glisse souvent une barre congelée dans la boîte-repas de mon fils William, et elle est dégelée à l'heure du midi. Ces barres sont remplies de bonnes choses, mais sans la texture et le goût de carton de certaines barres du commerce !

Donne 15 barres

Préchauffer le four à 180 °C/350 °F/gaz 4. Huiler un moule de 22 x 18 cm (8 1/2 x 7 po) et tapisser de papier sulfurisé (en laissant pendre du papier sur les bords, il est plus facile de soulever la plaque cuite hors du moule).

Réchauffer le beurre, le sucre et la mélasse de canne dans une casserole sur feu doux, jusqu'à ce que le beurre ait fondu et que le sucre commence à se dissoudre. Mélanger les flocons d'avoine, les fruits séchés, la pomme râpée et les graines de sésame dans un bol. Verser sur le sirop chaud et bien mélanger. Étaler la préparation dans le moule et faire cuire 20 à 25 minutes.

Laisser refroidir 10 minutes, puis couper en 15 barres dans le moule. Une fois le tout refroidi, soulever la plaque du moule et placer les barres entre des feuilles de papier sulfurisé dans un contenant de plastique.

(C) Couvrir, étiqueter et congeler.

(D) Laisser dégeler 2 à 3 heures à la température ambiante.

Gâteau éponge à la crème au beurre

225 g (1 tasse) de beurre très mou

225 g (1 1/2 tasse) de sucre super fin

4 œufs, battus

225 g (2 tasses) et 1 c. à soupe de farine à levure

2 c. à thé (café) combles de levure chimique

4 c. à soupe de jus d'orange ou de lait

Pour la garniture

100 g (1/2 tasse) de beurre ramolli

75 g (3 oz) de fromage à la crème

175 g (1 1/8 tasse) de sucre glace, et un peu plus pour saupoudrer

1 c. à thé (café) d'extrait de vanille

4 à 5 c. à soupe de confiture de fraises ou de framboises coulante

J'ai ajouté du fromage à la crème à la garniture pour qu'elle soit moins sucrée, mais vous pouvez faire une crème au beurre classique ou utiliser de la crème épaisse si vous préférez.

Donne 8 à 10 portions

Préchauffer le four à 190 °C/375 °F/gaz 5. Huiler un moule à fond amovible de 20 cm (8 po) de diamètre et de 9 cm (3 1/2 po) de profondeur.

Pour économiser du temps, mettre tous les ingrédients du gâteau dans le bol d'un batteur sur socle, en tamisant la farine et la levure chimique en dernier. Battre 2 minutes pour bien mélanger, puis verser dans le moule et faire cuire (voir plus bas).

Une autre façon de procéder (qui donne de meilleurs résultats, selon moi) est de mettre le beurre et le sucre dans un grand bol. Au batteur à main ou à la cuillère de bois (et de bons muscles !), battre environ 2 minutes, jusqu'à ce que la préparation soit légère, pâle et crémeuse. Incorporer les œufs graduellement, en battant bien, ainsi que 1 c. à soupe de farine vers la fin pour empêcher que le mélange ne se sépare.

Retirer le batteur et tamiser la farine et la levure chimique au-dessus du bol. À l'aide d'une grande cuillère de métal, incorporer délicatement au mélange, en ajoutant le jus d'orange ou le lait en dernier lieu.

Verser dans le moule et étendre légèrement. Faire cuire au centre du four 40 à 45 minutes, jusqu'à ce qu'un cure-dent inséré au centre en ressorte intact. Laisser refroidir un peu, puis démouler sur une grille pour refroidir complètement.

Pendant ce temps, battre le beurre, le fromage à la crème, le sucre et l'extrait de vanille. Couper le gâteau en deux horizontalement et couvrir la base de crème au beurre. Étaler la confiture par-dessus et couvrir de l'autre moitié de gâteau.

(C) Faire congeler à découvert, puis mettre soigneusement dans un sac.

(D) Laisser dégeler sur une grille 5 à 6 heures. Saupoudrer de sucre glace avant de servir.

Gâteau imbibé au citron et à l'orange

175 g (²/₃ de tasse) de beurre ramolli

200 g (1 ¹/₃ tasse) de sucre super fin

Zeste de 1 orange

Zeste de 1 citron

3 œufs

200 g (1 ²/₃ tasse) de farine à levure, tamisée

100 ml (3 ¹/₂ oz) de lait entier

1 c. à thé (café) de levure chimique, tamisée

Pour le sirop

100 g (1/2 tasse) de sucre super fin

Jus de 1 citron

Jus de 1/2 orange

Ce gâteau me fait penser à l'été avec ses couleurs orange et jaune qui évoquent la chaleur des journées ensoleillées. Il a un goût frais et piquant, et est très facile à préparer.

Donne 12 carrés

Préchauffer le four à 180 °C/350 °F/gaz 4. Huiler et tapisser un moule de 24 x 20 x 5 cm (10 x 8 x 2 po).

Mettre le beurre, le sucre et les zestes dans un bol, et fouetter au batteur électrique jusqu'à ce que la préparation soit pâle et légère. Incorporer les œufs un à un, en battant. Ajouter la moitié de la farine et du lait, bien battre, puis incorporer le reste ainsi que la levure chimique.

Verser le mélange dans le moule et bien l'étaler. Faire cuire 30 à 35 minutes, jusqu'à ce que le gâteau soit doré et spongieux. Sortir du four et laisser refroidir 5 minutes.

Mélanger le sucre et les jus de citron et d'orange. Démouler délicatement le gâteau et le déposer sur une planche couverte de papier aluminium.

Percer toute la surface du gâteau avec une brochette. Verser le sirop sur le dessus en soulevant les bords du papier aluminium pour éviter qu'il ne fuie. Laisser refroidir complètement.

(C) Congeler à découvert, sur la planche. Une fois le gâteau congelé, retirer la planche et envelopper de papier aluminium.

(D) Laisser dégeler 4 heures à la température ambiante.

Cupcakes aux bleuets, aux amandes et à l'orange

110 g (1/2 tasse) de beurre, ramolli

110 g (1/2 tasse) de sucre super fin

2 œufs

50 g (1/2 tasse) d'amandes moulues

Zeste de 1/2 orange, plus 2 c. à soupe de jus

110 g (1 tasse) de farine à levure

1 c. à thé (café) de levure chimique

100 g (3 1/2 oz) de bleuets

Pour servir

Sucre glace, pour saupoudrer

J'adore faire de la pâtisserie avec William, mon fils de trois ans, même si je dois me hâter de mettre la pâte dans les moules avant qu'il ne la mange toute ! Les bleuets sont ses fruits préférés. En fait, pendant que j'écris cette phrase, j'aperçois une petite bouche violette qui me sourit. Il vient d'avaler les derniers bleuets du sac ! Les bleuets se congèlent très bien. Si vous décidez de faire de la pâtisserie à la dernière minute, vous n'avez qu'à les sortir du congélateur et à les laisser dégeler 30 minutes pendant que vous préparez la pâte.

Donne 15 cupcakes

2 moules à cupcakes et au moins 15 caissettes de papier

Préchauffer le four à 190 °C/375 °F/gaz 5. Mettre le beurre, le sucre, les œufs, les amandes, le zeste et le jus dans un bol. Tamiser la farine et la levure au-dessus du bol. Fouetter 2 minutes avec un batteur électrique, jusqu'à consistance lisse et légère. Incorporer délicatement les bleuets et déposer des cuillerées du mélange dans les cavités des moules. Faire cuire 15 à 20 minutes.

(C) Laisser refroidir sur une grille, puis congeler à découvert avant de mettre dans des sacs identifiés.

(D) Dégeler sur une grille pour empêcher que les gâteaux ne soient humides. Saupoudrer de sucre glace avant de servir.

Scones aux raisins

225 g (1 7/8 tasse) de farine à levure

1 1/2 c. à thé (café) comble de levure chimique

3 c. à soupe de beurre froid, en dés

2 c. à soupe de sucre super fin

3 c. à soupe de raisins secs

7 à 8 c. à soupe de lait entier

2 c. à thé (café) de jus de citron

1 œuf, battu

1 emporte-pièce cannelé de 6 cm (2 1/2 po)

Les scones se congèlent très bien et il est pratique d'en avoir toujours sous la main. J'adore les scones chauds avec du beurre, mais vous pouvez aussi les servir avec de la crème fraîche et de la confiture pour en faire un véritable festin! Si vous n'avez pas d'emporte-pièce, découpez-les en carrés avec un couteau.

Donne 6 à 8 scones

Préchauffer le four à 220 °C/425 °F/gaz 7. Tamiser la farine et la levure chimique dans un bol, et mélanger avec 1 pincée de sel. Du bout des doigts, incorporer le beurre, en soulevant la farine pour l'aérer. Ajouter le sucre et les raisins, et bien mélanger.

Mélanger 7 c. à soupe de lait avec le jus de citron et l'œuf, et incorporer la majeure partie dans le mélange de farine à l'aide d'un couteau (réserver une partie pour badigeonner le dessus des scones). Verser un peu plus de lait au besoin pour obtenir une pâte ferme.

Mettre la pâte sur une surface farinée et tapoter doucement pour former un carré d'environ 3 cm (1 1/4 po) de haut. Utiliser un emporte-pièce cannelé pour découper les scones (le fait de plonger d'abord l'emporte-pièce dans un peu de farine lui permettra de glisser plus facilement dans la pâte). Découper en carrés avec un couteau si on n'a pas d'emporte-pièce. Badigeonner le dessus des scones avec le reste du mélange de lait, puis déposer à l'aide d'une palette métallique sur une plaque à pâtisserie tapissée de papier sulfurisé. Faire cuire 10 à 12 minutes, jusqu'à ce que les scones soient gonflés et dorés. Laisser refroidir sur une grille.

(C) Mettre dans un sac, identifier et congeler.

(D) Laisser dégeler 1 à 2 heures sur une grille à la température ambiante.

(R) Préchauffer le four à 180 °C/350 °F/gaz 4 et faire cuire 5 à 8 minutes.

Variante :

Scones aux bleuets – Remplacer les raisins par 3 c. à soupe de bleuets séchés.

Carrés au bacon et au cheddar

4 tranches de bacon fumé entrelardé, hachées fin

250 g (2 tasses) de farine de blé complète à levure, tamisée

1/2 c. à thé (café) de sel

1/2 c. à thé (café) de moutarde sèche anglaise

1 c. à thé (café) de levure chimique

2 c. à soupe de beurre froid, en dés

100 g (3/4 de tasse) de cheddar, râpé

7 à 8 c. à soupe de lait entier

1 œuf, battu

Environ 2 c. à thé (café) de graines de tournesol concassées

Ces carrés sont délicieux avec un bol de soupe, ou réchauffés au four en guise de collation rapide.

Donne 9 carrés

Préchauffer le four à 220 °C/425 °F/gaz 7. Faire frire le bacon à sec dans une petite poêle jusqu'à ce qu'il soit croustillant, puis déposer dans une assiette, sur du papier absorbant.

Dans un grand bol, mélanger la farine, le sel, la moutarde sèche et la levure chimique. Incorporer le beurre du bout des doigts, en soulevant la farine pour l'aérer. Ajouter le cheddar et le bacon.

Mélanger 7 c. à soupe de lait et l'œuf, et incorporer la majeure partie dans le mélange de farine à l'aide d'un couteau. Verser un peu plus de lait au besoin pour obtenir une pâte ferme.

Mettre la pâte sur une surface farinée et former un carré d'environ 3 cm (1 1/4 po) de haut. Couper en 9 carrés. Badigeonner le dessus des carrés avec le reste du mélange de lait, parsemer de graines de tournesol et disposer sur une plaque à pâtisserie tapissée de papier sulfurisé. Faire cuire 15 à 18 minutes, jusqu'à ce que les carrés soient gonflés et dorés. Laisser refroidir sur une grille.

(C) Mettre dans un sac, identifier et congeler.

(D) Laisser dégeler 1 à 2 heures sur une grille à la température ambiante.

(R) Préchauffer le four à 180 °C/350 °F/gaz 4 et faire cuire 5 à 10 minutes.

Gâteau choco-moka avec glaçage au mascarpone

200 g (⅞ de tasse) de beurre, ramolli

200 g (⅞ de tasse) de sucre super fin

4 œufs

2 c. à thé (café) de café expresso en poudre, dissous dans 1 c. à soupe d'eau chaude

225 g (2 tasses) de farine à levure

1 c. à thé (café) de levure chimique

1 c. à soupe de cacao mélangé à 2 c. à soupe d'eau chaude

Pour le glaçage

75 g (⅓ de tasse) de mascarpone

3 c. à soupe de beurre

1 c. à thé (café) de café expresso en poudre, dissous dans 2 c. à thé (café) d'eau chaude

250 g (1⅔ tasse) de sucre glace, tamisé

Pour servir

Cacao, pour saupoudrer

Noix hachées rôties

Pour ceux qui trouvent le gâteau au chocolat trop sucré et le gâteau au café pas assez, le choco-moka est parfait !

Donne 8 portions

Préchauffer le four à 180 °C/350 °F/gaz 4. Huiler et tapisser un moule à pain de 900 g (2 lb).

Mettre le beurre, le sucre, les œufs, le mélange de café, la farine et la levure chimique dans un bol. Au batteur électrique, fouetter 2 minutes jusqu'à ce que la pâte soit pâle et crémeuse. Mettre la moitié de la préparation dans un autre bol et incorporer le mélange de cacao. Déposer des cuillerées des deux mélanges ici et là dans le moule, égaliser, puis faire cuire 45 à 55 minutes, jusqu'à ce que le gâteau ait levé et qu'un cure-dent inséré au centre en ressorte intact. Laisser refroidir 5 minutes dans le moule, puis démouler sur une grille pour refroidir complètement.

Battre les ingrédients du glaçage, puis étendre sur le dessus du gâteau refroidi (si le glaçage est trop coulant, le mettre au réfrigérateur 10 minutes pour le raffermir).

(C) Faire congeler à découvert, puis mettre soigneusement dans un sac.

(D) Laisser dégeler une nuit au réfrigérateur, puis saupoudrer de cacao et parsemer de noix hachées avant de servir.

Tartelettes de Noël

Elles sont comme une récompense : chaque fois que j'en mange, j'ai l'impression d'être comme le père Noël à la fin de sa tournée !

Donne 16 tartelettes

500 g (1,2 lb) de Pâte sucrée maison
   (1/2 quantité de la page 28) ou 500 g
   (1,2 lb) de pâte brisée pur beurre
400 g (14 oz) de hachis de fruits
   secs maison ou en conserve (ou de
   mincemeat, si disponible)
Un peu de lait
1 œuf, battu
Sucre super fin, pour saupoudrer
2 moules à tartelettes de 8 cavités
1 emporte-pièce cannelé de 6 cm
   (2 1/2 po)
1 emporte-pièce cannelé de 7,5 cm
   (3 1/2 po)

Préchauffer le four à 190 °C/375 °F/gaz 5. Sur une surface farinée, abaisser la pâte très mince (pour ne pas se retrouver avec seulement de la pâte et pratiquement pas de garniture). À l'aide de l'emporte-pièce de 7,5 cm (3 1/2 po), découper 16 cercles (ou un peu plus, si l'abaisse est très mince), puis 16 autres avec le plus petit emporte-pièce.

Tapisser les cavités des moules avec les grands cercles. Déposer 1 c. à thé (café) comble de hachis dans chacune et badigeonner les bords de la pâte avec du lait. Couvrir avec les petits cercles de pâte en scellant bien les bords. Badigeonner le dessus de chaque tartelette avec l'œuf et pratiquer deux petites incisions avec la pointe d'un couteau ou de ciseaux.

Faire cuire 25 à 30 minutes, jusqu'à ce que le dessus soit doré.

(C) Faire refroidir dans le moule, puis mettre les tartelettes dans un contenant entre des feuilles de papier sulfurisé et congeler.

(R) Préchauffer le four à 190 °C/375 °F/gaz 5. Déposer les tartelettes congelées sur une plaque à pâtisserie et réchauffer 8 à 10 minutes. Saupoudrer de sucre avant de servir.

Muffins aux framboises et au chocolat blanc

180 ml (3/4 de tasse) de lait entier

1 œuf

2 c. à soupe d'huile végétale

1/2 c. à thé (café) d'extrait de vanille

250 g (2 tasses) de farine à levure

150 g (2/3 de tasse) de sucre super fin

100 g (1/2 tasse) de pépites de chocolat blanc

100 g (3 1/2 oz) de framboises

Pour servir

Sucre glace, pour saupoudrer

Très faciles à préparer, ces muffins sont parfaits pour cuisiner avec de jeunes enfants. Ils sont délicieux chauds ou à la température de la pièce. Vous pouvez y ajouter des raisins secs, des bleuets, du chocolat, des pacanes ou tout autre ingrédient de votre choix.

Donne 12 muffins

1 moule à muffins de 12 cavités garni de caissettes de papier (ou 1 moule à muffins en silicone).

Préchauffer le four à 190 °C/375 °F/gaz 5. Battre le lait, l'œuf, l'huile et la vanille dans un récipient. Tamiser la farine dans un bol et incorporer le sucre, 1 pincée de sel, le chocolat blanc et les framboises. Creuser un puits au centre et y verser le liquide. Remuer délicatement à l'aide d'une fourchette (ne pas trop mélanger, sinon les muffins ne lèveront pas).

Mettre des cuillerées de préparation dans les cavités du moule. Faire cuire 20 à 25 minutes, jusqu'à ce que les muffins soient dorés et gonflés. Laisser refroidir 5 minutes dans le moule, puis démouler sur une grille pour refroidir complètement.

(C) Congeler à découvert sur une plaque avant de mettre en sac.

(D) Faire dégeler 4 à 5 heures sur une grille, puis manger tel quel ou réchauffer au four à feu doux. Saupoudrer de sucre glace avant de servir.

Desserts

Crème glacée caramel aux pacanes

75 g (3/4 de tasse) de pacanes

Huile végétale

110 g (1/2 tasse) de sucre super fin

3 c. à soupe de mélasse claire de canne

1 c. à thé (café) de bicarbonate de soude

1 litre (4 tasses) de crème 35 % M.G. ou de double-crème

2 c. à thé (café) d'extrait de vanille

400 g (1 1/2 tasse) de lait concentré sucré, écrémé ou non

Voici l'adaptation d'une recette familiale. L'ajout de noix en fait ma crème glacée préférée ! Dégustez-la dans les deux semaines qui suivent, car elle a tendance à perdre de sa texture.

Donne 2,5 litres (10 tasses)

Préchauffer le four à 190 °C/375 °F/gaz 5. Briser grossièrement les pacanes entre les doigts, les étaler sur une plaque à pâtisserie et faire griller au four 5 minutes. Sortir du four et laisser refroidir.

Huiler une feuille de papier sulfurisé et la déposer sur une plaque à pâtisserie. Réchauffer le sucre et la mélasse claire dans une casserole sur feu doux, en inclinant de tous côtés pour faire dissoudre le sucre. Augmenter la chaleur et faire bouillir environ 4 minutes, jusqu'à ce que le sirop prenne une riche teinte ambrée, en surveillant pour qu'il ne brûle pas. Retirer la casserole du feu, ajouter les noix et saupoudrer soigneusement le bicarbonate de soude sur le mélange. Ce dernier deviendra soudain mousseux et augmentera de volume. Remuer, puis verser rapidement (avant qu'il ne durcisse) sur le papier huilé. Laisser refroidir et durcir. Mettre dans un sac de plastique et briser en morceaux avec un rouleau à pâtisserie.

Au batteur électrique, fouetter la crème et la vanille dans un grand bol jusqu'à ce que la crème épaississe (sans former de pics). Toujours en battant, verser le lait concentré. Continuer de battre jusqu'à consistance ferme. Incorporer délicatement les morceaux de sirop durci.

(C) Mettre dans un contenant de 3 litres (12 tasses) et congeler durant 6 à 8 heures.

(S) Sortir du congélateur 20 minutes avant de consommer et placer dans un endroit frais.

Conseil ! Pour faciliter le nettoyage de la casserole, la remplir d'eau après avoir versé le sirop sur le papier, et porter à ébullition.

Crème glacée à la vanille non barattée

600 ml (2 1/3 tasses) de crème
  35 % M.G. ou de double-crème
400 g (1 1/2 tasse) de lait concentré
  sucré, écrémé ou non
400 ml (1 2/3 tasse) de Crème anglaise
  (page 30), refroidie, ou 500 g
  (2 tasses) de crème anglaise du
  commerce
1 1/2 c. à thé (café) d'extrait de vanille

Si votre famille raffole autant de la crème glacée que la mienne, vous apprécierez la simplicité de cette recette, et surtout le fait qu'elle ne doit pas être barattée ! Mangez-la dans les deux semaines qui suivent sa préparation, car elle a tendance à perdre de sa texture.

Donne 1,5 litre (6 tasses)

Fouetter la crème au batteur électrique dans un grand bol jusqu'à consistance épaisse. Toujours en battant, incorporer le lait concentré, la crème anglaise et la vanille. Continuer de battre 1 minute.

(C) Verser dans un contenant de 2 litres (8 tasses), couvrir et congeler.

(S) Sortir du congélateur 20 minutes avant de consommer et placer dans un endroit frais.

Crème glacée aux fraises et à la meringue

400 g (14 oz) de fraises mûres

3 c. à soupe de confiture de fraises

400 ml (1 2/3 tasse) de crème 35 % M.G. ou de double-crème

200 g (3/4 de tasse) de lait concentré sucré, écrémé ou non

4 meringues ou nids en meringue, écrasés entre les doigts

L'ajout de confiture peut sembler surprenant, mais cela intensifie la saveur de fraise. Mangez cette crème glacée dans les deux semaines qui suivent sa préparation, car elle a tendance à perdre de sa texture.

Donne 1,75 litre (7 tasses)

Mettre les fraises et la confiture dans un mélangeur et réduire en purée. Au batteur électrique, fouetter la crème dans un grand bol jusqu'à consistance épaisse. Toujours en battant, incorporer le lait concentré, puis la purée de fraises. Continuer de battre jusqu'à consistance épaisse, mais coulante, puis incorporer délicatement les morceaux de meringue.

(C) Verser dans un contenant de 2 litres (8 tasses), couvrir et congeler.

(S) Sortir du congélateur 20 minutes avant de consommer et placer dans un endroit frais.

Crème glacée croquante à la rhubarbe

500 g (1,2 lb) de rhubarbe, fraîche ou
   congelée, en morceaux (nul besoin
   de décongeler)
4 c. à soupe de sucre super fin
2 c. à soupe de jus d'orange frais

Pour le croustillant
75 g (2/3 de tasse) de farine
3 c. à soupe de beurre froid, en dés
3 c. à soupe de sucre muscovado pâle
   ou de cassonade pâle

Pour la crème glacée
600 ml (2 1/3 tasse) de crème à fouetter
400 g (1 1/2 tasse) de lait concentré
   sucré, écrémé ou non

Comme je n'arrivais pas à décider s'il s'agirait d'un gâteau au fromage ou d'un croustillant aux fruits, c'est devenu une crème glacée croquante ! Évitez la rhubarbe verte et dure, qui n'a pas la même saveur. Mangez la crème glacée dans les deux semaines qui suivent sa préparation, car elle a tendance à perdre de sa texture.

Donne 1,8 litre (7 tasses)

Préchauffer le four à 180 °C/350 °F/gaz 4. Mettre la rhubarbe dans un moule, la saupoudrer de sucre et l'arroser de jus d'orange. Couvrir de papier aluminium et faire cuire 25 minutes, pour la ramollir.

Pendant ce temps, préparer le croustillant. Mélanger la farine et le beurre dans un bol, puis incorporer le sucre. Étaler sur une plaque à pâtisserie de 24 cm (10 po) sur 20 cm (8 po), et compresser pour obtenir 1 cm (1/2 po) d'épaisseur. Faire cuire environ 20 minutes.

Lorsque la rhubarbe et le croustillant sont prêts, les sortir du four et les laisser refroidir dans leurs moules.

Au batteur électrique, fouetter la crème dans un grand bol jusqu'à consistance épaisse. Toujours en battant, incorporer le lait concentré et le jus de cuisson de la rhubarbe. Incorporer délicatement la rhubarbe refroidie et battre jusqu'à ce que la crème devienne épaisse, mais toujours coulante.

Briser grossièrement la base croustillante et l'incorporer délicatement à la crème, en laissant de gros morceaux.

(C) Verser dans un contenant de 2 litres (8 tasses), couvrir et congeler.

(S) Sortir du congélateur 20 minutes avant de consommer.

Crème glacée au cassis et aux groseilles

275 g (10 oz) de cassis

175 g (6 oz) de groseilles rouges

4 c. à soupe de liqueur de prunelle ou
de jus de pomme

750 ml (3 tasses) de crème 35 % M.G.
ou de double-crème

600 g (2 1/2 tasses) de lait concentré
sucré, écrémé ou non

4 meringues, brisées en morceaux
(facultatif)

Je me suis dit que ce serait une bonne idée de préparer de la crème glacée avec des groseilles rouges, car elles apparaissent rarement dans les desserts. Vous pouvez utiliser uniquement du cassis, mais un mélange des deux fruits donne un meilleur résultat que les groseilles seules. Les fruits peuvent être cuits congelés si vous n'en avez pas de frais. Mangez la crème glacée dans les deux semaines qui suivent sa préparation, car elle a tendance à perdre de sa texture.

Donne 2 litres (8 tasses)

Mettre les fruits et la liqueur ou le jus dans une casserole et faire mijoter doucement 5 à 10 minutes, en remuant de temps à autre. Lorsque les fruits semblent avoir éclaté, filtrer dans une passoire au-dessus d'un bol, en pressant avec une spatule pour faire passer toute la purée. Laisser refroidir.

Au batteur électrique, fouetter la crème dans un grand bol jusqu'à consistance épaisse. Toujours en battant, incorporer le lait concentré et la purée de fruits. Incorporer la meringue avec une cuillère, puis verser dans un contenant de 2 litres (8 tasses).

(C) Congeler au moins 4 à 5 heures.

(S) Sortir du congélateur 20 minutes avant de consommer.

Terrine au cassis et aux groseilles

275 g (10 oz) de cassis

175 g (6 oz) de groseilles rouges

4 c. à soupe de liqueur de prunelle ou de crème de cassis

750 ml (3 tasses) de crème 35 % M.G. ou de double-crème

600 g (2 1/2 tasses) de lait concentré sucré, écrémé ou non

4 meringues, brisées en morceaux

Voici une version raffinée de la crème glacée précédente, et il n'est pas nécessaire de la baratter. Vous pouvez la préparer le matin, puis l'oublier jusqu'au moment de servir. J'y mets un peu d'alcool, qu'on peut remplacer par de l'eau ou du jus de pomme. Mangez-la dans les deux semaines qui suivent sa préparation, car elle a tendance à perdre de sa texture.

Donne 2 terrines de 900 g (2 lb)

2 moules à pain de 900 g (2 lb)

Mettre les fruits et l'alcool dans une casserole avec 2 c. à soupe d'eau et faire mijoter doucement 5 à 10 minutes, en remuant de temps à autre. Lorsque les fruits semblent avoir éclaté, filtrer dans une passoire au-dessus d'un bol, en pressant avec une spatule pour faire passer toute la purée.

À l'aide d'un batteur électrique, fouetter la crème dans un grand bol jusqu'à consistance épaisse, puis incorporer le lait concentré et la purée de fruits en battant. Incorporer la meringue avec une cuillère, puis verser dans des moules antiadhésifs (ou tapissés de pellicule plastique).

(C) Congeler au moins 4 à 5 heures.

(S) Sortir du congélateur 20 minutes avant de consommer et placer dans un endroit frais. Renverser sur un plat de service (plonger les moules dans l'eau chaude au besoin pour faciliter le démoulage), puis découper en tranches.

Sorbet mojito

Zeste et jus de 8 à 10 limes pour
  obtenir 225 ml (7/8 de tasse) de jus
175 g (3/4 de tasse) de sucre super fin
Jus de 1 gros citron
100 ml (1/3 à 1/2 tasse) de rhum blanc
15 jeunes feuilles de menthe, hachées
  fin

Pour servir
Feuilles de menthe

Que voulez-vous, c'est mon cocktail préféré, et je l'ai transformé en dessert ! Ne cédez pas à la tentation d'y ajouter plus d'alcool, car il mettra une éternité à geler (ou ne gèlera pas du tout !).

Donne 675 ml (2 ¾ tasses) ou 4 portions

Mettre le zeste et le sucre dans une casserole avec 150 ml (2/3 de tasse) d'eau et réchauffer doucement pour faire dissoudre le sucre. Laisser refroidir 5 minutes.

Pendant ce temps, verser le jus des limes et du citron dans un récipient. Ajouter le sirop, le rhum et la menthe, et remuer.

(C) Verser dans un contenant de 1 litre (4 tasses), de préférence haut et étroit, afin de pouvoir y insérer un mélangeur plongeur, et congeler 4 à 5 heures, jusqu'à ce que le sorbet soit partiellement gelé. Battre au mélangeur plongeur ou à la fourchette pour briser les cristaux de glace, puis remettre au congélateur. Si possible, battre de nouveau (plus on le bat, plus il sera lisse) et recongeler.

(S) Sortir du congélateur juste avant de consommer. Servir le sorbet dans des petits verres, garni de feuilles de menthe.

Pavlova aux grenades et aux framboises

175 ml (³/4 de tasse) de blancs d'œufs
(environ 4 œufs ; à mesurer)
350 g (1 ¹/2 tasse) de sucre super fin
2 c. à thé (café) de fécule de maïs
1 c. à thé (café) de vinaigre de vin blanc

Pour servir
240 g (9 oz) de graines de grenade
(environ 4 grenades)
300 g (10 ¹/2 oz) de framboises,
fraîches ou congelées
2 c. à soupe de sucre super fin
300 ml (1 ¹/4 tasse) de crème 35 % M.G.
ou de double-crème

Une pavlova aérienne garnie de fruits mûrs impressionnera vos convives à coup sûr. Les framboises congelées sont idéales pour ce dessert, car elles dégèlent rapidement sur le dessus et donnent une saveur estivale à un menu hivernal. Vous pouvez retirer les graines de grenade fraîche.

Donne 6 portions

Préchauffer le four à 160 °C/325 °F/gaz 3. Tracer un cercle de 23 cm (9 po) de diamètre sur une feuille de papier sulfurisé, puis la déposer sur une grande plaque à pâtisserie.

Au batteur électrique, battre à grande vitesse les blancs d'œufs dans un grand bol jusqu'à la formation de pics fermes et luisants. Ajouter 6 c. à thé (café) de sucre, une après l'autre, sans interruption. Toujours en battant, ajouter encore 2 c. à thé (café) de sucre toutes les dix secondes, jusqu'à ce que toute la quantité soit incorporée. Saupoudrer la fécule de maïs sur le mélange et arroser de vinaigre, puis incorporer délicatement avec une grande cuillère de métal.

Déposer par cuillerées au centre du cercle sur le papier sulfurisé. Étendre en égalisant et en formant des pics ou des tourbillons en bordure du cercle.

Mettre au four et diminuer aussitôt la température à 150 °C/300 °F/gaz 2. Faire cuire 1 heure. Éteindre le four et laisser refroidir complètement dans le four, la porte entrouverte.

(C) Congeler à découvert sur la plaque puis, si nécessaire, mettre soigneusement dans un contenant ou un sac et remettre au congélateur.

(D) Sortir du congélateur 2 heures avant utilisation et laisser dégeler à la température ambiante.

(S) Pendant que la meringue dégèle, mettre la moitié des graines de grenade et 75 g (3 oz) de framboises dans une casserole avec 2 c. à soupe d'eau. Faire mijoter jusqu'à ce que les fruits aient ramolli et que le mélange soit sirupeux. Incorporer le sucre, puis filtrer dans une passoire et réserver (ceci peut être fait à l'avance, en gardant la sauce au réfrigérateur). Fouetter la crème dans un bol et l'étendre sur la meringue. Parsemer de graines de grenade et de framboises. Arroser d'un filet de sauce et servir (ou servir la sauce dans un récipient à part).

Variantes :

Pavlova aux fraises et aux fruits de la passion – Préparer, congeler et dégeler la meringue selon les indications ci-dessus et garnir de 300 ml (1 1/4 tasse) de crème 35 % M.G. ou de double-crème. Parsemer de 400 g (14 oz) de fraises (en moitiés au besoin) et des graines de 2 fruits de la passion. Décorer de fleurs comestibles (pétales de rose ou pensées), si désiré.

Pavlova au chocolat – Ajouter 1 1/2 c. à soupe de cacao en même temps que le sucre (le cacao ordinaire donnera de meilleurs résultats).

Meringues individuelles – Suivre la recette, en réduisant la quantité de sucre à 250 g (9 oz) et en omettant la fécule de maïs et le vinaigre. Déposer 15 à 20 bonnes cuillerées du mélange, bien espacées, sur 2 plaques à pâtisserie tapissées de papier sulfurisé. Faire cuire 1 h 20 à 110 °C/225 °F/1/gaz 4, jusqu'à ce que la meringue soit croustillante et sonne creux lorsqu'on la tapote. Laisser refroidir sur les plaques avant de mettre dans un contenant au congélateur.

Flans aux fruits

200 g (7 oz) de groseilles rouges
200 g (7 oz) de cassis
350 g (3/4 de lb) de framboises
75 g (1/3 de tasse) de sucre super fin
1 1/2 c. à soupe de crème de cassis
8 à 10 tranches de pain blanc vieux
   d'un jour, sans croûte
200 g (7 oz) de fraises

Pour servir
Crème fouettée

Quand nous étions enfants, ma grand-mère préparait de délicieux flans avec les fruits de son jardin. Ces flans individuels sont très invitants, disposés sur une assiette.

Donne 6 flans

6 darioles (moules à baba) de 200 ml (7/8 de tasse)

Mettre les groseilles, le cassis et la moitié des framboises dans une casserole avec le sucre et la crème de cassis. Réchauffer doucement jusqu'à ce que les fruits deviennent luisants et commencent à libérer leur jus. Poursuivre la cuisson environ 5 minutes, pour qu'il y ait une bonne quantité de liquide dans la casserole, mais que les fruits conservent un peu de leur texture.

Aplatir les tranches de pain au rouleau à pâtisserie. Découper 12 cercles avec un emporte-pièce de la même taille que la base des moules. Tailler le reste du pain en lanières pour tapisser le tour des moules. Tremper une face de chaque morceau de pain dans le jus de la casserole. Disposer les cercles au fond des moules et les lanières tout autour, jusqu'au bord, le côté fruité vers l'extérieur. Garder 6 cercles imbibés sur une assiette.

Ajouter le reste des framboises et les fraises dans la casserole, remuer, puis répartir les fruits et le jus dans les moules. Couvrir chacun d'un cercle de pain trempé (le côté fruité vers le haut) et recouvrir d'une pellicule plastique.

(C) Mettre au réfrigérateur 1 heure, puis couvrir chaque moule de papier aluminium et congeler.

(D) Laisser dégeler 4 à 6 heures à la température ambiante.

(S) Renverser les moules sur des assiettes et servir avec de la crème fouettée.

Vodkas aromatisées

Toutes ces vodkas sont délicieuses, et ont un effet dévastateur après le souper ! Vous pouvez les conserver au congélateur.

Vodka à la grenade

Extraire les graines d'une grenade en la coupant en deux, en tenant le côté coupé dans le creux de la main et en frappant l'extérieur avec un rouleau à pâtisserie. Mettre les graines dans 500 ml (2 tasses) de vodka et laisser macérer 12 heures. Elle prendra une teinte rosée et s'imprégnera de la saveur fruitée. Servir avec quelques graines congelées à croquer dans chacun.

Vodka aux fraises et à l'eau de rose

Couper 250 g (9 oz) de fraises mûres en morceaux pouvant entrer dans le goulot d'une bouteille. Ajouter 500 ml (2 tasses) de vodka, puis 2 à 4 c. à thé (café) d'eau de rose et 3 c. à soupe de sirop de sucre. Laisser macérer 24 heures, filtrer et mettre au congélateur. La vodka sera de couleur rose.

Vodka thaïe épicée

Entailler 1 bâton de citronnelle et 1 piment vert avec un couteau sur la longueur (sans couper en deux). Mettre dans une bouteille de vodka de 500 ml (2 tasses) avec un morceau de gingembre ou de galanga de 2,5 cm (1 po), en lanières, et 10 feuilles de lime fraîches (ou 5 séchées), déchiquetées. Laisser macérer 12 heures. Conserver au congélateur. Cette vodka est excellente dans un Bloody Mary ou avec du lait de coco.

Vodka au chocolat et à la menthe au lave-vaisselle

Écraser 100 g (3 1/2 oz) de chocolat noir à 70 % et mettre dans une bouteille contenant 400 ml (1 2/3 tasse) de vodka. Bien visser le bouchon et mettre dans le lave-vaisselle au cycle chaud. Lorsque le cycle est terminé, ajouter 2 à 3 c. à thé (café) d'extrait de menthe, au goût. Secouer, refroidir et mettre au congélateur. On peut remplacer la menthe par le zeste de 1 orange ou 1/2 piment rouge épépiné et entaillé et le chocolat noir par des barres Mars hachées.

Mousse au chocolat noir

150 ml (2/3 de tasse) de crème 35 %
    M.G. ou de double-crème
100 ml (3 1/2 oz) de lait entier
2 c. à soupe de sucre super fin
3 c. à soupe d'amaretto ou de brandy
250 g (9 oz) de chocolat noir de bonne
    qualité, en morceaux
2 œufs, à la température de la pièce,
    séparés
1 c. à thé (café) de fécule de maïs

Pour servir
8 biscuits amaretti
Cacao, pour saupoudrer
Crème, pour napper

Je me suis lancée dans une quête pour découvrir une recette infaillible de mousse au chocolat à congeler. Celle-ci permet d'innombrables variantes. On peut ajouter des framboises au fond et du kirsch dans le mélange, ou encore remplacer l'amaretto et le brandy par 1 c. à soupe de café expresso, du jus d'orange ou du Cointreau. Vous pouvez également utiliser du chocolat aromatisé, à la menthe, par exemple. Le fait d'avoir des œufs à la température de la pièce évite que le mélange ne se transforme en masse figée. Pour une mousse plus riche, supprimez les blancs d'œufs (vous obtiendrez alors 6 portions).

Donne 8 portions

Mettre la crème, le lait, le sucre et l'alcool dans une casserole à fond épais et réchauffer doucement jusqu'à faible ébullition. Retirer du feu, ajouter le chocolat et incliner la casserole de tous côtés pour enrober le chocolat de crème. Laisser fondre 5 minutes.

Pendant ce temps, fouetter les jaunes d'œufs et la fécule de maïs jusqu'à consistance lisse. Remuer le mélange chocolaté, puis incorporer les jaunes d'œufs. Réchauffer sur feu doux 5 minutes, en remuant sans arrêt avec une cuillère de bois. Retirer du feu, verser dans un bol et laisser refroidir 10 minutes.

Fouetter les blancs d'œufs dans un bol jusqu'à consistance ferme et incorporer délicatement à la crème au chocolat. Verser la mousse dans 8 ramequins, tasses ou verrines et mettre au réfrigérateur 1 heure.

(C) Lorsque la mousse est bien prise, couvrir les ramequins de pellicule plastique et congeler.

(D) Sortir du congélateur et laisser dégeler 2 heures au réfrigérateur.

(S) Saupoudrer le dessus des ramequins de cacao et servir avec des biscuits amaretti et de la crème.

Sucettes glacées

400 à 600 ml (1 $^2/_3$ à 2 $^1/_3$ tasses) de
jus de fruits (de couleurs différentes
pour des sucettes rayées)

Pour servir (facultatif)
200 g (7 oz) de chocolat au lait ou blanc
Paillettes multicolores ou chocolatées

Je ne sais jamais si les sucettes fruitées du commerce sont saines ou non. C'est pourquoi j'essaie de confectionner moi-même des sucettes glacées, à base de jus de fruits ou de smoothies. Si vous avez le temps, décorez-les de chocolat et de paillettes. Le nappage au chocolat peut être une étape salissante, mais très amusante pour les enfants.

Donne environ 4 sucettes (selon la taille des moules)

4 moules à sucettes glacées avec bâtonnets en plastique (ou en bois pour une allure rétro)

Verser le jus dans les moules jusqu'au tiers et congeler. Lorsque le jus s'est solidifié, verser du jus d'une couleur contrastante jusqu'aux deux tiers. Congeler de nouveau. Quand cette deuxième couche est partiellement congelée, insérer les bâtonnets et remplir avec du jus d'une autre couleur. Congeler jusqu'à ce que les sucettes soient solides (on peut ajouter autant d'étages qu'on le souhaite en congelant à chaque fois, mais il est préférable d'enfoncer les bâtonnets lorsque le deuxième étage est mi-congelé afin qu'ils soient bien solides).

Servir les sucettes telles quelles ou les décorer de chocolat et de paillettes. Selon moi, la méthode la plus simple est de faire fondre le chocolat dans un bol à l'épreuve de la chaleur, placé au-dessus d'une casserole d'eau frémissante (ou au micro-ondes). Démouler une sucette glacée et, à l'aide d'une cuillère, napper l'extrémité d'une petite quantité de chocolat fondu. Parsemer de paillettes et remettre au congélateur pour solidifier (si possible sur un support à sucettes pour que le chocolat prenne bien).

Tarte aux noix de Grenoble et à l'orange

450 g (1 ³/₈ tasse) de mélasse claire de canne (réchauffer la bouteille dans de l'eau chaude pour bien liquéfier son contenu)

150 g (3 ¹/₄ tasse) de Chapelure (page 23), congelée ou non

Zeste et jus de ¹/₂ orange

4 c. à soupe de crème 35 % M.G. ou de double-crème

1 œuf, battu

2 fonds de tarte sucrés précuits de 20 cm (8 po)

100 g (1 tasse) de noix de Grenoble en morceaux

Je fais toujours deux tartes en même temps pour éviter le gaspillage, car une seule utilise seulement la moitié d'un œuf, la moitié d'un sac de noix et le quart d'une orange. Pour me faciliter la vie, j'achète des croûtes de tarte précuites, mais vous pouvez faire vous-même votre Pâte sucrée (page 28) ou acheter de la pâte, l'abaisser et la faire cuire avant de garnir (voir page 144).

Donne 2 tartes de 6 portions chacune

Préchauffer le four à 190 °C/375 °F/gaz 5. Verser la mélasse de canne dans une petite casserole et réchauffer sur feu doux. Retirer du feu et ajouter la chapelure, le zeste et le jus d'orange, la crème et l'œuf. Bien remuer. Verser dans les fonds de tarte et parsemer de noix. Faire cuire 20 minutes, puis laisser refroidir.

(C) Idéalement, laisser dans le moule pour congeler. S'il le faut, retirer délicatement la tarte refroidie du moule, puis couvrir et congeler.

(R) Pour réchauffer congelée, mettre dans un four préchauffé à 190 °C/375 °F/gaz 5 durant 15 à 20 minutes, jusqu'à ce que la tarte soit bien chaude. Si elle est dégelée, la mettre dans un four préchauffé à 150 °C/300 °F/gaz 2 pendant 25 minutes. Couvrir de papier aluminium si la pâte devient trop foncée.

Tarte estivale à la frangipane

Farine, pour saupoudrer

350 g (3/4 de lb) de Pâte sucrée
   (1/3 de quantité de la recette page 28)

175 g (3/4 de tasse) de beurre, ramolli

175 g (2 tasses) d'amandes moulues

150 g (2/3 de tasse) de sucre super fin

3 œufs

200 g (7 oz) de framboises ou de mûres
   (ou un mélange des deux), congelées
   ou non

2 c. à soupe d'amandes effilées

Voici la tarte idéale à préparer à l'avance. Elle est élégante, assez légère pour servir à vos invités à la fin d'un repas (vous pouvez faire des tartelettes, si vous préférez) ou à déguster à tout autre moment. Le fait d'utiliser des petits fruits congelés vous permet de la préparer à n'importe quelle période de l'année.

Donne 6 à 8 portions

Si les fruits sont congelés, les sortir du congélateur pendant la préparation de la pâte. Préchauffer le four à 190 °C/375 °F/gaz 5.

Sur une surface farinée, abaisser la pâte et en tapisser un moule à tarte à fond amovible de 24 cm (10 po) de diamètre et de 2,5 cm (1 po) de profondeur. Chiffonner du papier sulfurisé, le déplier et le mettre dans le moule et le remplir de billes pour cuisson. Faire cuire 15 minutes.

Enlever le papier et les billes du moule, et remettre au four 5 minutes, jusqu'à ce que le fond de tarte soit sec. Sortir du four et laisser refroidir.

Mettre le beurre, les amandes moulues, le sucre et les œufs dans le robot et mélanger 20 secondes, jusqu'à consistance homogène et crémeuse. Couvrir le fond de tarte avec ce mélange et parsemer de petits fruits et d'amandes. Faire cuire au four 40 minutes, jusqu'à ce que la tarte soit bien dorée. Laisser refroidir.

(**C**) Congeler à découvert dans le moule, puis mettre dans un sac.

(**D**) Laisser dégeler 2 à 4 heures à la température ambiante.

(**R**) Réchauffer 10 à 15 minutes dans un four préchauffé à 180 °C/350 °F/gaz 4.

Poudings caramel ultra collants aux bananes et aux pommes

40 g (1/4 de tasse) de pacanes

2 bananes très mûres
  (noircies, si possible)

2 œufs

1 1/2 c. à soupe de yogourt nature
  non écrémé

1 petite pomme à cuire pelée,
  évidée et râpée

50 g (2 oz) de raisins secs

85 g (1/3 de tasse) de beurre, fondu

110 g (1/2 tasse) de sucre muscovado
  pâle ou de cassonade pâle

1/2 c. à thé (café) de cannelle

185 g (1 2/3 tasse) de farine à levure

1 1/2 c. à thé (café) de levure chimique

3/4 de c. à thé (café) de bicarbonate de
  soude

Pour la sauce caramel

175 g (7/8 de tasse) de sucre muscovado
  pâle ou de cassonade pâle

3 c. à soupe de beurre

300 ml (1 1/4 tasse) de crème 35 % M.G.
  ou de double-crème

Ils sont remplis d'ingrédients excellents pour la santé... jusqu'au moment où on les inonde de caramel!

8 darioles ou moules à mini-poudings de 200 ml (1/2 de tasse)

Préchauffer le four à 180 °C/350 °F/gaz 4. Huiler les moules. Étaler les pacanes sur une plaque à pâtisserie et faire griller au four 5 minutes. Sortir du four et laisser refroidir sur une planche, puis hacher grossièrement.

À la fourchette, écraser les bananes dans un grand bol. Ajouter les œufs, le yogourt, la pomme râpée, les pacanes hachées, les raisins secs, le beurre, le sucre et la cannelle. Bien mélanger à la fourchette. Tamiser la farine, la levure chimique et le bicarbonate de soude au-dessus du mélange, et incorporer délicatement, sans trop mélanger, à l'aide d'une grande cuillère de métal.

Répartir dans les moules et faire cuire 20 à 30 minutes, jusqu'à ce que les poudings soient dorés et entièrement cuits (insérer un cure-dent au centre de l'un d'eux pour vérifier s'il en ressort intact; si la pâte adhère, remettre au four quelques minutes de plus). Laisser refroidir pendant la préparation de la sauce.

Mettre le sucre et le beurre dans une casserole sur feu doux et remuer pour faire dissoudre. Ajouter la crème et faire mijoter 2 à 3 minutes, jusqu'à l'obtention d'une riche teinte ambrée. Retirer du feu et verser dans un contenant avec couvercle. Lorsque les poudings ont refroidi légèrement, les démouler en glissant un couteau tout autour. Les déposer sur une grille pour refroidir.

(**C**) Faire congeler à découvert, puis mettre en sac, identifier et remettre au congélateur. Congeler la sauce dans son contenant.

(**D**) Laisser dégeler 4 à 5 heures à la température ambiante.

(**R**) Réchauffer la sauce légèrement dans une casserole ou au micro-ondes, puis en verser la moitié au fond d'un grand moule. Déposer les poudings dans le moule et les napper du reste de la sauce. Couvrir de papier aluminium et mettre dans un four préchauffé à 180 °C/350 °F/gaz 4 durant 15 minutes, jusqu'à ce que les poudings soient bien chauds et bouillonnants.

Chaussons aux fruits délicieux

1 noix de beurre

1 grosse pomme à cuire, pelée, évidée et hachée

1 grosse poire, pelée, évidée et hachée

1 1/2 c. à soupe de sucre demerara ou de cassonade foncée

2 c. à soupe combles de raisins secs

1/4 de c. à thé (café) de cannelle

1 filet de brandy (facultatif)

375 g (13 oz) de pâte feuilletée enroulée

Farine, pour saupoudrer

1 œuf, battu

Sucre super fin, pour saupoudrer

Qu'ils soient garnis de rhubarbe, de mûres et de pommes, ou d'un mélange des fruits que j'ai sous la main, j'adore les chaussons, surtout servis dès leur sortie du four, avec une cuillerée de crème. Servez-les en collation avec de la crème anglaise ou comme dessert saupoudrés de sucre glace et accompagnés de crème fouettée ou de double-crème.

Donne 6 chaussons

Mettre le beurre, la pomme, la poire, le sucre, les raisins secs, la cannelle et le brandy dans une casserole. Faire mijoter 15 minutes, en remuant de temps à autre, jusqu'à ce que la pomme et la poire ramollissent. Retirer du feu et laisser refroidir.

Dérouler la pâte et l'étendre sur une surface farinée. Abaisser afin de pouvoir y découper 6 cercles de 11 cm (4 1/2 po) de diamètre. Badigeonner les bords avec l'œuf battu. Déposer environ 1 c. à soupe de garniture sur une moitié de chaque cercle, en évitant la bordure badigeonnée, puis rabattre. Appuyer sur les bords avec l'extrémité d'une cuillère pour bien sceller. Badigeonner les chaussons d'œuf battu et saupoudrer de sucre, puis déposer sur une assiette couverte de papier sulfurisé.

(C) Congeler à découvert, puis mettre en sac, identifier et remettre au congélateur.

(M) Faire cuire congelés dans un four préchauffé à 200 °C/400 °F/gaz 6 durant 25 à 30 minutes, jusqu'à ce que les chaussons soient dorés.

Mélange pour croustillant à l'avoine

450 g (4 tasses) de farine

375 g (1 2/3 tasse) de beurre froid, en dés

225 g (1 1/8 tasse) de sucre demerara ou de cassonade foncée

300 g (1 1/3 tasse) de sucre super fin

175 g (1 3/4 tasse) de flocons d'avoine

La meilleure façon de préparer rapidement un mélange pour croustillant est d'utiliser le batteur sur socle. Il permet de mélanger tous les ingrédients et de préparer une grande quantité en une seule fois. En outre, il procure une texture « maison » plus grossière, contrairement à la poudre qu'on obtient avec le robot. Bien entendu, vous pouvez le préparer de la façon traditionnelle, en sablant la farine et le beurre avant d'ajouter le reste des ingrédients.

Donne 12 à 14 portions

Mettre tous les ingrédients dans le batteur sur socle et utiliser le fouet plat pour incorporer le beurre. Mélanger à vitesse moyenne jusqu'à l'obtention d'une consistance de chapelure grossière. Verser dans un sac ou un contenant.

(C) Fermer le sac ou le couvercle, identifier et congeler.

(M) Répandre sur les fruits choisis (je les ramollis d'abord un peu sur feu doux, avec un peu de beurre et du sucre au besoin), puis compresser légèrement. Faire cuire 30 à 40 minutes dans un four préchauffé à 180 °C/350 °F/gaz 4, jusqu'à ce que le croustillant soit doré et bouillonnant.

Croustillant aux mûres et aux pommes

2 c. à soupe de beurre

500 g (1 lb) de tranches de pommes congelées (ou 3 pommes à cuire, pelées, évidées et tranchées)

3 c. à soupe de sucre demerara ou de cassonade foncée

225 g (1/2 lb) de mûres, fraîches ou congelées

4 à 6 poignées de Mélange pour croustillant à l'avoine (page 147), ou suffisamment pour couvrir les fruitst

Pour servir
Crème glacée

Doublez simplement les quantités et prenez un plus grand moule pour un grand nombre de convives, en allongeant légèrement le temps de cuisson. Si vous utilisez vos propres tranches de pomme congelées, dégelez-les un peu au préalable car elles peuvent s'agglutiner !

Donne 4 portions

Préchauffer le four à 180 °C/350 °F/gaz 4. Faire fondre le beurre dans une casserole et ajouter les pommes. Remuer 2 à 3 minutes sur le feu, puis saupoudrer de sucre et ajouter les mûres congelées (si elles sont fraîches, les ajouter à la fin de la cuisson). Remuer sur le feu jusqu'à ce que les mûres commencent à donner une teinte rosée aux pommes, puis mettre dans un plat de cuisson, en tapotant pour égaliser. Parsemer du mélange pour croustillant et mettre au four 30 à 40 minutes, jusqu'à ce que le croustillant soit doré et bouillonnant. Servir avec de la crème glacée.

Variantes :

Croustillant aux fruits d'été – Utiliser un mélange de petits fruits, frais ou congelés, au lieu des mûres. Ou encore, mettre uniquement 800 g (1 3/4 lb) de petits fruits et réduire le sucre à 1 1/2 c. à soupe. Faire ramollir les fruits dans une casserole jusqu'à ce qu'ils commencent à libérer leur jus.

Croustillant aux framboises et aux pommes – Remplacer les mûres par des framboises fraîches ou congelées.

Croustillant à la rhubarbe – Remplacer les pommes et les mûres par 600 g (1 1/4 lb) de rhubarbe fraîche ou congelée en morceaux.

Croustillant aux abricots et aux pommes – Remplacer les mûres par 1 boîte d'abricots en conserve. Ajouter les abricots et la moitié de leur jus aux pommes ramollies et sucrées.

Pour les tout-petits

Nourrir les bébés et les bambins

Avec les conseils et recettes de ce chapitre, j'ai voulu faciliter le sevrage et l'alimentation des tout-petits pour les parents débordés. L'introduction des aliments solides devrait être une période excitante, mais si vous n'avez jamais préparé de purées pour bébés auparavant, il se peut que vous ayez quelques inquiétudes. Le meilleur conseil que je puisse vous donner est de miser sur la simplicité. Rappelez-vous que votre bébé n'a jamais goûté à une pomme ou une carotte. Bien que cela puisse nous sembler élémentaire, c'est tout un univers de saveurs différentes qui s'offre à lui. Il faudra certainement quelques tentatives avant qu'il apprenne à apprécier ces nouveaux goûts.

Voilà pourquoi un congélateur peut vous sauver la vie si vous êtes un nouveau parent. Il permet de préparer de grandes quantités de purées différentes et de les congeler dans des bacs à glaçons. Vous pourrez donc les introduire graduellement, au lieu de passer des heures dans la cuisine à préparer une purée avec amour, pour devoir ensuite la jeter parce que votre enfant l'a refusée !

Le micro-ondes vous sera également très utile, tout comme un mélangeur à main. Vous devrez sevrer votre bébé à son propre rythme, car chaque enfant est différent. C'est pourquoi je ne suggère ni portions ni ordre d'introduction des saveurs. Par manque de place, je n'ai pas décrit toutes les étapes, car je suis certaine que vous savez comment faire bouillir une carotte ou écraser une banane ! Par ailleurs, les purées qui suivent ont toutes été bien accueillies par mes propres enfants, et j'espère que vous pourrez vous en inspirer.

J'ai également inclus des plats faciles à congeler, comme le gratin de chou-fleur et la pizza, qui sont tout indiqués pour des bambins, mais sont généralement appréciés par toute la famille. D'ailleurs, de nombreuses recettes des chapitres précédents conviennent aux tout-petits. Vous n'avez qu'à ajuster la quantité de sucre et de sel si vous les servez à de jeunes enfants.

Les premières purées

Purée de pommes et de poires

2 pommes
2 poires mûres (3 si elles sont petites)

Voici la toute première purée que j'ai fait goûter à mes deux enfants. Vous pouvez y ajouter un peu de céréales de riz pour un goût moins prononcé.

Donne environ 20 cubes

Peler et évider les fruits, puis les trancher au-dessus d'une casserole ou d'un bol allant au micro-ondes. Ajouter un peu d'eau et faire mijoter doucement 5 à 8 minutes, jusqu'à ce que les fruits aient ramolli. Pour une cuisson au micro-ondes, couvrir le bol de pellicule plastique, percer quelques trous et faire cuire 4 à 8 minutes, pour ramollir les fruits. Réduire en purée.

(C) Faire refroidir et congeler dans des bacs à glaçons. Mettre ensuite les cubes dans un sac, identifier et remettre au congélateur.

(R) Laisser dégeler ou réchauffer congelé.

Purée de poires et de mangues

2 poires mûres (3 si elles sont petites)
2 mangues mûres

Cette purée n'est pas cuite, et est donc parfaite pour un dessert de dernière minute.

Donne environ 20 cubes

Peler les fruits et les trancher au-dessus d'un bol. Réduire en purée lisse.

(C) Faire refroidir et congeler dans des bacs à glaçons. Mettre ensuite les cubes dans un sac, identifier et remettre au congélateur.

(R) Laisser dégeler ou réchauffer congelé.

Purée de pommes et de mûres

2 pommes
150 g (5 oz) de mûres

Cette purée se marie très bien à des céréales de riz ou, pour un enfant plus âgé, à du pouding au riz ou de la crème anglaise. Le riz tendre est idéal pour faire découvrir une première texture à votre bébé.

Donne environ 20 cubes

Peler les pommes, les évider et les couper en quartiers, puis les trancher au-dessus d'une casserole ou d'un bol. Ajouter les mûres et un peu d'eau, puis faire mijoter doucement 5 à 8 minutes pour ramollir. Pour une cuisson au micro-ondes, couvrir le bol de pellicule plastique, percer quelques trous et faire cuire 4 à 6 minutes (attention, car le mélange a tendance à déborder). Réduire en purée.

(C) Faire refroidir et congeler dans des bacs à glaçons. Mettre ensuite les cubes dans un sac, identifier et remettre au congélateur.

(R) Laisser dégeler ou réchauffer congelé.

Purée de poivrons rouges et de patates douces

350 g (3/4 de lb) de patates douces, pelées et coupées en morceaux
100 g (3 1/2 oz) de poivrons rouges ou de poivrons mélangés (frais ou congelés), épépinés, tranchés et hachés
1 filet d'eau de cuisson ou de lait
1 noix de beurre (si l'enfant en consomme)

Les poivrons congelés sont tout aussi nutritifs et permettent de préparer rapidement une bonne quantité de purée.

Donne environ 12 cubes

Faire bouillir les patates douces 15 minutes, puis ajouter les poivrons. Ramener à ébullition et poursuivre la cuisson 5 minutes (si les poivrons sont congelés, les ajouter 5 minutes plus tôt et s'assurer qu'ils sont tendres). Égoutter, en réservant un peu d'eau de cuisson. Réduire en purée lisse pour éliminer la peau des poivrons (les bébés ne l'apprécient pas !). Incorporer le liquide et le beurre si désiré.

(C) Faire refroidir et congeler dans des bacs à glaçons. Mettre ensuite les cubes dans un sac, identifier et remettre au congélateur.

(R) Laisser dégeler ou réchauffer congelé.

Purée de betteraves et de carottes

200 g (7 oz) de carottes, pelées et
coupées en morceaux

3 betteraves cuites, pelées et coupées
en morceaux

4 c. à soupe de lait ou de jus de cuisson

Cette purée est très sucrée et les betteraves lui donnent une couleur rose vif. Vous pouvez y ajouter des pommes de terre en purée et, si votre bébé est parvenu à cette étape, faire cuire les légumes dans du bouillon de poulet pour plus de saveur.

Donne environ 14 cubes

Faire bouillir les carottes 15 minutes, pour qu'elles soient tendres. Égoutter en réservant un peu d'eau de cuisson, puis ajouter les betteraves et réduire en purée. Ajouter du lait ou de l'eau de cuisson pour une texture plus liquide si désiré.

(C) Faire refroidir et congeler dans des bacs à glaçons. Mettre ensuite les cubes dans un sac, identifier et remettre au congélateur.

(D) Laisser dégeler ou réchauffer congelé.

Premier poulet quatre façons

4 cuisses de poulet (3 sans peau)

1 gros poireau, paré et en tranches épaisses

2 pommes de terre moyennes, pelées et en gros morceaux

1 grosse carotte, pelée et en gros morceaux

225 g (1/2 lb) de courge musquée, pelée, épépinée et en gros morceaux

50 g (2 oz) de petites pâtes au choix

200 g (7 oz) de maïs en grains en conserve, sans sel ni sucre ajoutés, ou 1 épi, cuit et égrené

75 g (3 oz) de petits pois, décongelés

2 à 3 c. à soupe de lait (facultatif)

Adaptez cette recette à ce que vous avez sous la main. Si votre bébé n'aime pas les morceaux, réduisez tout en purée. Sinon, ajoutez les pâtes au poulet et aux légumes une fois qu'ils sont en purée. Vous pouvez aussi ajouter un peu de sauce blanche ou de fromage râpé pour varier.

Donne environ 4 bacs à glaçons, 1 de chacun de ces mélanges :

Poulet, carotte, pommes de terre et maïs
Poulet, pommes de terre, petits pois et courge musquée
Poulet, pâtes, courge musquée et maïs
Poulet, pâtes, petits pois et carotte

Mettre les cuisses de poulet et le poireau dans une casserole avec 1 litre (4 tasses) d'eau froide, et porter lentement à ébullition. Diminuer la chaleur et faire mijoter 30 minutes. Retirer le poulet et le poireau, et les faire refroidir sur une planche. Mettre les pommes de terre, la carotte et la courge musquée dans le bouillon. Faire cuire 20 minutes, jusqu'à ce que les légumes soient tendres. Égoutter et réserver.

Pendant ce temps, faire cuire les pâtes dans une autre casserole. Égoutter et rincer. Répartir le poireau dans quatre bols. Défaire la viande, en jetant le gras et la peau, et répartir dans les bols. Distribuer les autres ingrédients de la façon suivante :

Bol a : la moitié des pommes de terre, la moitié de la carotte et la moitié du maïs
Bol b : la moitié des pommes de terre, la moitié des petits pois et la moitié de la courge musquée
Bol c : la moitié du maïs et la moitié de la courge musquée
Bol d : la moitié de la carotte et la moitié des petits pois

Verser un peu de bouillon, ou un mélange de bouillon et de lait, dans chaque bol. Réduire le contenu de chaque bol en purée séparément, en ajoutant un peu de bouillon au besoin (il en faudra probablement plus pour ceux contenant des pommes de terre). Ajouter les pâtes aux bols c et d (sans pommes de terre), et réduire en purée ou laisser tels quels.

(C) Congeler les purées dans des bacs à glaçons distincts. Mettre ensuite dans des sacs, identifier et remettre au congélateur.

(S) Dégeler, puis réchauffer jusqu'à ce que la purée soit bien chaude, en ajoutant un peu de lait ou d'eau au besoin. Laisser refroidir à la température désirée.

Premier poisson
quatre façons

500 ml (2 tasses) de lait

1 poireau, paré et en tranches épaisses

450 g (1 lb) de filet d'aiglefin, avec peau

2 petites pommes de terre, pelées
  et en morceaux

100 g (3 1/2 oz) de feuilles d'épinards
  congelées

100 g (3 1/2 oz) de bouquets de brocoli

1 petite carotte, brossée et tranchée

1 grosse courgette, en gros morceaux

100 g (3 1/2 oz) de petites pâtes
  au choix

200 g (7 oz) de maïs en conserve,
  égoutté, ou 1 épi, cuit et égrené

2 c. à soupe de beurre

1 1/2 c. à soupe de farine

2 c. à soupe de cheddar râpé
  (facultatif)

Cette recette suit le même principe que la précédente, à la page 156. Bien qu'elle semble demander beaucoup de travail, elle vous permettra d'économiser du temps à long terme et vous procurera un congélateur rempli de repas variés pour votre bébé.

Donne environ 4 bacs à glaçons, 1 de chacun de ces mélanges :

Aiglefin, maïs, épinards et pommes de terre
Aiglefin, courgette, épinards et pommes de terre
Aiglefin, courgette, maïs, fromage et pâtes
Aiglefin, brocoli, poireau, fromage et pâtes

Mettre le lait et le poireau dans une grande poêle profonde et porter à faible ébullition. Faire mijoter 7 minutes, puis ajouter le poisson (peau dessous) et pocher 4 minutes. Retourner le poisson et pocher encore 3 minutes. Éteindre le feu et placer le poisson et le poireau sur une assiette à l'aide d'une pelle à poisson trouée ou d'une cuillère à égoutter. Verser le lait dans un récipient.

Pendant la cuisson du poisson, faire cuire les pommes de terre à la vapeur 5 minutes. Déposer ensuite les épinards dans l'eau, sous la marguerite, et mettre le brocoli, la carotte et la courgette avec les pommes de terre (les garder séparés pour faciliter l'étape suivante). Cuire 5 à 7 minutes. Dans une autre casserole, faire cuire les pâtes jusqu'à ce qu'elles soient tendres. Égoutter et rincer.

Pour la sauce, faire fondre le beurre sur feu doux (dans la casserole des pâtes), puis ajouter la farine et remuer avec une cuillère de bois. Incorporer graduellement le lait et faire mijoter 2 minutes. Poivrer et verser dans un récipient.

Jeter la peau du poisson et vérifier qu'il n'y a pas d'arêtes. Répartir le poisson et la sauce dans les 4 bols. Ajouter les légumes de la façon suivante :

Bol a : le brocoli, la moitié du poireau et 1 c. à soupe de fromage

Bol b : la courgette, la moitié du poireau et la moitié du maïs

Bol c : les épinards, la moitié des pommes de terre et 1 c. à soupe de fromage

Bol d : la carotte, la moitié des pommes de terre et la moitié du maïs

Réduire le contenu de chaque bol en purée séparément. Ajouter les pâtes aux bols a et b (sans pommes de terre), et réduire en purée ou laisser tels quels.

(C) Congeler les purées dans des bacs à glaçons distincts. Mettre ensuite dans des sacs, identifier et remettre au congélateur.

(S) Dégeler, puis réchauffer jusqu'à ce que la purée soit bien chaude, en ajoutant un peu de lait ou d'eau au besoin. Laisser refroidir à la température désirée.

Double purée

2 patates douces, pelées et coupées
en morceaux de 5 cm (2 po)

1 pomme de terre, pelée et coupée
en morceaux de 5 cm (2 po)

Du lait et 1 noix de beurre (facultatif)

Les enfants raffolent du goût de la patate douce. Il est très pratique d'avoir cette purée dans le congélateur, car on peut la mélanger à d'autres aliments comme du poisson, du brocoli ou des carottes en purée.

Donne 18 à 20 cubes

Porter une casserole d'eau à ébullition et y mettre les légumes. Faire bouillir 15 à 25 minutes pour les attendrir, puis égoutter en réservant un peu d'eau de cuisson.

Écraser ou réduire en purée (très lisse si votre bébé n'aime pas les morceaux). Ajouter un peu d'eau de cuisson ou, si votre enfant en consomme, un peu de lait et de beurre.

(C) Faire refroidir, puis congeler dans des bacs à glaçons ou des petits pots (pour les bambins). Mettre ensuite dans un sac, identifier et remettre au congélateur.

(S) Réchauffer congelé, en ajoutant un peu de lait, de préparation lactée pour nourrissons ou d'eau au besoin.

Pizza

500 g (1,2 lb) de mélange à pain du
  commerce
1 c. à soupe d'huile d'olive (ou la
  quantité indiquée sur l'emballage),
  plus 2 c. à soupe pour arroser
Farine, pour saupoudrer
4 à 6 c. à soupe combles de Sauce
  tomate de base (page 33) ou d'une
  sauce tomate du commerce
1 c. à thé (café) d'origan
2 boules de mozzarella de 125 g (4 oz),
  égouttées

Pour les garnitures
Le choix de mes enfants – jambon, maïs,
poivron, olives, courgette
Quattro stagioni – artichauts, olives
noires, champignons, jambon
Piquante – piment en flocons,
pepperoni, poivron
Végétarienne – poivron grillé, pointes
d'asperges blanchies, courgette

La pâte à base de mélange à pain rend la croûte aussi délicieuse que croustillante. Mes enfants adorent garnir eux-mêmes la pizza. Je vous donne quelques suggestions de garnitures, faciles à préparer à l'avance. Façonnez de plus petits cercles de pâte pour des pizzas individuelles.

Donne 2 grandes pizzas, chacune servant 2 ou 3 adultes, ou 4 enfants

Dans un bol, préparer le mélange à pain selon les indications de l'emballage. Une fois la boule de pâte pétrie et non collante, la diviser en 2 et mettre les moitiés dans un grand plat de cuisson couvert de pellicule plastique. Laisser doubler de volume dans un endroit chaud (tel qu'un four éteint mais encore chaud) durant 30 minutes.

Déposer une des boules de pâte sur une surface farinée. Se saupoudrer les mains de farine et la pétrir. Façonner ensuite en cercle et abaisser pour obtenir un grand cercle de 30 à 35 cm (12 à 14 po) de diamètre. Placer sur une plaque à pâtisserie antiadhésive. Répéter avec l'autre boule de pâte et déposer sur une autre plaque à pâtisserie.

Mettre 2 à 3 c. à soupe de sauce tomate au centre de chaque pizza et étaler presque jusqu'au bord. Parsemer sur chacune 1/2 c. à thé (café) d'origan et une bonne quantité de poivre. Déchiqueter les boules de mozzarella, assécher avec du papier absorbant et parsemer sur les pizzas.

(C) Faire congeler à découvert sur les plaques, puis mettre dans un sac ou empiler entre des couches de papier sulfurisé et couvrir de pellicule plastique.

(D) Pour de meilleurs résultats, laisser dégeler les croûtes 3 à 4 heures à la température ambiante. On peut aussi les faire cuire congelées si on manque de temps, en s'assurant de ne pas mettre trop de garniture, sinon le centre sera humide.

(M) Régler le four à 220 °C/425 °F/gaz 7 et y mettre 2 plaques à pâtisserie. Garnir les pizzas et les arroser de 1 c. à soupe d'huile d'olive. Déposer sur les plaques chaudes et faire cuire 10 à 15 minutes (15 à 20 minutes si congelées).

Pâtes aux épinards, aux petits pois et au fromage

100 g (3 1/2 oz) de petites pâtes en forme d'étoiles ou au choix

400 ml (1 2/3 tasse) de lait entier, et un peu plus pour allonger au besoin

50 g (1/2 tasse) de farine

50 g (1/4 de tasse) de beurre

100 g (3 1/2 oz) de feuilles d'épinards congelées ou d'épinards frais, cuits et égouttés

100 g (3/4 de tasse) de petits pois congelés

50 g (1/2 tasse) de cheddar fort, râpé

Vous pouvez réduire les pâtes en purée si votre bébé n'aime pas les morceaux, ou choisir des pâtes plus grosses pour un enfant plus âgé, en utilisant la même sauce. Cette sauce me sert également pour les plats gratinés et la lasagne, car elle est idéale pour dissimuler les légumes aux yeux des petits capricieux !

Donne 20 à 24 cubes

Faire bouillir les pâtes dans beaucoup d'eau (remuer de temps à autre pour les empêcher de coller), selon les indications de l'emballage. Égoutter et rincer à l'eau froide.

Pendant ce temps, mettre le lait, la farine et le beurre dans une casserole et remuer avec un fouet sur feu doux, pour faire fondre le beurre et épaissir la sauce. Incorporer les épinards et les petits pois, et remuer sur feu moyen avec une cuillère de bois jusqu'à ce qu'ils soient dégelés. Faire mijoter 5 minutes, puis assaisonner d'un peu de poivre et ajouter le fromage (la sauce sera plus coulante lorsqu'elle sera en purée). Réduire en purée au mélangeur, puis incorporer les pâtes, en ajoutant un peu de lait si l'on souhaite une texture plus liquide.

(C) Congeler dans des bacs à glaçons. Mettre ensuite dans des sacs, identifier et remettre au congélateur.

(S) Dégeler et réchauffer, ou réchauffer congelé si désiré, en ajoutant un peu de lait au besoin. .

Pâtes océaniques

350 g (3/4 de lb) de petites pâtes
    au choix
1 poireau, paré et haché
370 g (13 oz) de thon ou de saumon
    rouge en conserve, égoutté
400 g (14 oz) de maïs en grains en
    conserve, égoutté

Pour la sauce au fromage
350 ml (1 1/2 tasse) de lait
25 g (1/4 de tasse) de farine
2 c. à soupe de beurre
50 g (1/2 tasse) de cheddar râpé

Pour la garniture
50 g (1/2 tasse) de cheddar râpé
1 poignée de tomates cerises, en
    moitiés, ou 2 tomates, tranchées

Les enfants raffolent de ce plat. Les variantes sont infinies : vous pouvez remplacer le poisson en conserve par du bacon, du poulet, des saucisses ou du jambon, et le maïs par des épinards, par exemple.

Pour 4 adultes ou 8 enfants

Faire cuire les pâtes selon les indications de l'emballage, et ajouter le poireau lors des 4 dernières minutes de cuisson. Égoutter en réservant un peu d'eau dans un récipient.

Pendant ce temps, mettre le lait, la farine et le beurre dans une casserole, et assaisonner. Remuer avec un fouet sur feu doux jusqu'à ce que le beurre soit fondu et que la sauce commence à épaissir (racler les bords avec une cuillère de bois pour l'empêcher d'épaissir de façon inégale). Porter à ébullition, ajouter le fromage et laisser mijoter 2 minutes.

Incorporer les pâtes, le poireau et le maïs, en ajoutant un peu d'eau de cuisson (il est préférable que la sauce soit plus coulante qu'épaisse, car les pâtes en absorberont un peu en refroidissant). Laisser refroidir, puis incorporer le poisson.

Mettre dans des contenants de la taille désirée et garnir avec le cheddar et les tomates.

(**C**) Fermer les contenants, étiqueter et congeler.

(**D**) Laisser dégeler toute une nuit au réfrigérateur.

(**R**) Préchauffer le four à 180 °C/350 °F/gaz 4. Mettre dans un plat allant au four, couvrir de papier aluminium et faire cuire 20 à 30 minutes (selon la taille du plat), jusqu'à ce que ce soit bien chaud. Faire dorer sous le gril 5 minutes.

Mini-hamburgers glacés au miel

2 c. à thé (café) d'huile végétale

1/2 oignon rouge, pelé et haché fin

400 g (14 oz) de bœuf haché
(n'ayant pas été congelé)

1 pincée d'origan

1/2 c. à thé (café) de moutarde sèche
anglaise

1 1/2 c. à thé (café) de ketchup

1 c. à thé (café) de sauce
Worcestershire

Pour servir

4 c. à thé (café) de miel

Petits pains à hamburgers

Épis de maïs ou frites

Cette recette permet de faire des hamburgers ordinaires ou miniatures. Si vous les faites cuire sur le barbecue, ajustez le temps de cuisson en conséquence. Vous devez utiliser du bœuf haché qui n'a jamais été congelé, car vous congèlerez les galettes de viande crues.

Donne 8 mini-hamburgers

Réchauffer l'huile dans une petite poêle, ajouter l'oignon et l'attendrir sur feu moyen. Laisser refroidir complètement.

Mettre la viande, l'origan, la moutarde sèche, le ketchup et la sauce Worcestershire dans un bol, saler et poivrer (ne pas supprimer le sel complètement, sinon les hamburgers n'auront pas de goût). Bien mélanger tous les ingrédients, puis façonner 8 petites galettes.

(C) Congeler à découvert sur une plaque ou une planche à découper couverte d'une feuille de papier sulfurisé. Mettre ensuite dans un sac, identifier et congeler.

(R) Placer les galettes congelées sous un gril préchauffé durant 5 minutes, puis les retourner et les remettre 5 minutes, jusqu'à ce qu'elles soient entièrement cuites. Réchauffer le miel pour le rendre plus liquide. En badigeonner les galettes et les remettre sous le gril 1 à 2 minutes pour les glacer. Servir sur des pains à hamburgers, avec des épis de maïs ou des frites.

Brocoli et chou-fleur gratinés, avec jambon et tomates

400 g (14 oz) de bouquets de
   chou-fleur (1 petit)
400 g (14 oz) de bouquets de brocoli
   (1 gros)
500 ml (2 tasses) de lait
75 g (1/3 de tasse) de beurre
75 g (2/3 de tasse) de farine
125 g (1 tasse) de cheddar, râpé
3 à 4 c. à soupe de parmesan, râpé
4 tranches épaisses de jambon,
   coupées en lanières
15 tomates cerises, en moitiés,
   ou 4 tomates tranchées

Ce plat est aussi délicieux avec du poulet rôti (en omettant le jambon). Je le congèle généralement dans de petits contenants pour mes enfants ou dans un grand plat pour un repas familial.

Pour 4 adultes ou 8 enfants

Faire cuire le chou-fleur 8 à 10 minutes dans une grande marmite à vapeur, pour qu'il soit tendre, mais un peu croquant (le légume sera réchauffé et doit donc être un peu croquant à cette étape). Ajouter le brocoli lors des 5 dernières minutes de cuisson (si la marmite est petite, les faire cuire séparément).

Pendant ce temps, mettre le lait, le beurre, la farine, du sel et du poivre dans une casserole. Remuer au fouet sur feu moyen jusqu'à ce que la sauce épaississe, puis laisser mijoter 2 à 3 minutes. Incorporer la moitié des fromages.

Répartir les légumes cuits dans les contenants choisis et ajouter les lanières de jambon. Verser la sauce pour bien enrober, puis garnir de tomates. Laisser refroidir 5 minutes et couvrir avec le reste des fromages.

(C) Faire refroidir complètement, couvrir, étiqueter et congeler.

(D) Laisser dégeler une nuit au réfrigérateur (je réchauffe les petits pots congelés au micro-ondes, puis je termine la cuisson sous le gril).

(R) Couvrir de papier aluminium et mettre dans un four préchauffé à 190 °C/375 °F/gaz 5 durant environ 25 minutes (selon la taille du plat). Retirer le papier aluminium et poursuivre la cuisson 10 à 15 minutes, pour faire dorer les fromages.

Poulet collant

10 pilons de poulet, avec peau,
  entaillés 2 ou 3 fois

4 c. à soupe de jus d'orange
  (environ 1 orange)

2 c. à thé (café) de moutarde à
  l'ancienne

2 c. à thé (café) de romarin frais, haché

2 c. à thé (café) de sauce soya

1 1/2 c. à soupe de miel liquide

Dès leur plus jeune âge, les enfants adorent mordre dans des aliments comme les épis de maïs, les saucisses ou les pilons de poulet. Voici une recette qui permet de préparer plusieurs pilons de poulet que vous congèlerez en vue d'une utilisation ultérieure.

Donne 10 pilons

Mettre les pilons dans un sac (ou plus d'un sac si on veut les congeler par petites quantités). Mélanger les autres ingrédients dans un bol avec un peu de poivre moulu. Verser dans le sac, fermer et secouer pour bien enrober le poulet.

(**C**) Identifier le sac et congeler.

(**D**) Laisser dégeler 6 à 8 heures au réfrigérateur.

(**M**) Préchauffer le four à 190 °C/375 °F/gaz 5. Placer le poulet et la marinade dans un plat de cuisson huilé assez grand pour contenir les pilons côte à côte. Faire cuire 15 minutes, retourner les pilons et remettre au four 15 minutes, jusqu'à ce qu'ils soient dorés et bien cuits.

Pâté de poisson aux légumes cachés

300 g (10 1/2 oz) de filet de saumon,
  sans peau ni arêtes
300 g (10 1/2 oz) de filet de morue,
  sans peau ni arêtes
400 ml (1 2/3 tasse) de lait entier
150 g (5 oz) de petits bouquets
  de brocoli
50 g (1/2 tasse) de cheddar râpé
  (facultatif)

Purée de légumes
400 g (14 oz) de pommes de terre,
  pelées et coupées en morceaux
1 grosse carotte, pelée et coupée
  en morceaux
1 panais, pelé et coupé en morceaux
2 c. à soupe de beurre
150 ml (2/3 de tasse) de lait entier

Pour la sauce
50 g (1/4 de tasse) de beurre
1/2 oignon, haché fin
2 c. à soupe combles de farine

Ce pâté à congeler est parfait pour les tout-petits, car il peut être réduit en purée pour les bébés, ou servi tel quel aux enfants plus grands et aux adultes. Et il contient beaucoup de légumes !

Donne 8 à 10 portions pour bambins ou 4 pour adultes

Mettre les poissons et le lait dans une grande poêle et porter à faible ébullition. Réduire la chaleur, couvrir et faire pocher 6 à 8 minutes, jusqu'à ce que les poissons soient cuits. Verser le lait dans un récipient et effeuiller les poissons dans les contenants choisis ou un grand plat, en s'assurant qu'il n'y a pas d'arêtes.

Pendant ce temps, faire bouillir les pommes de terre, la carotte et le panais 15 à 20 minutes, pour qu'ils soient tendres. Lors des 5 dernières minutes, faire cuire le brocoli à la vapeur ou le faire bouillir.

Déposer le brocoli sur les poissons. Égoutter les autres légumes et réduire en purée avec le beurre et le lait. Saler et poivrer au goût.

Pour la sauce, faire fondre le beurre dans une casserole et attendrir l'oignon sur feu doux. Ajouter la farine en remuant, puis incorporer graduellement le lait de cuisson réservé. Assaisonner et faire mijoter 2 à 3 minutes, pour faire épaissir la sauce. Verser sur les poissons et le brocoli, et couvrir de purée de légumes. Parsemer de fromage râpé.

(C) Faire refroidir, couvrir, étiqueter et congeler.

(D) Laisser dégeler au réfrigérateur toute une nuit pour un grand plat ou 2 à 3 heures pour de petits contenants.

(M) Préchauffer le four à 190 °C/375 °F/gaz 5. Faire cuire le pâté, non couvert, 20 à 35 minutes (selon la taille du plat), jusqu'à ce qu'il soit doré et bouillonnant.

Index

Abricot
> Croustillant aux abricots
> et aux pommes, 148

Agneau, *Voir* Viandes

Aiglefin, *Voir* Poissons

Amandes, *Voir* Noix

Asperges
> Risotto aux asperges et aux petits
> pois, 74

Aubergine, 14
> Moussaka aux lentilles, 91

Avocat
> Croquettes de crabe avec salade
> d'avocat et d'agrumes, 88

Avoine, *Voir* Céréales

Banane
> Poudings caramel ultra collants
> aux bananes et aux pommes, 145

Bébés et bambins, 152

Betterave
> Purée de betteraves et de carottes, 155

Biscuits
> Biscuits congelés, 104
> Biscuits à l'avoine et aux raisins, 105
> Biscuits à l'orange et au chocolat, 105
> Biscuits aux pistaches, 105
> Biscuits miel et amandes, 105

Bleuets, *Voir* Fruits et petits fruits

Bœuf, *Voir* Viandes

Brocoli, 14
> Aiglefin, brocoli, poireaux, fromage
> et pâtes (purée), 158
> Brocoli et chou-fleur gratinés
> avec jambon et tomates (purée), 166

Café
> Pain choco-moka avec glaçage
> au mascarpone, 114

Cari
> Cari d'agneau aromatique, 97
> Cari de poulet et de courge musquée
> à la noix de coco, 66
> Pâte de cari verte thaïlandaise, 37

Carottes, 14
> Poulet, carottes, pommes de terre
> et maïs (purée), 156
> Poulet, pâtes, petits pois et carottes
> (purée), 156
> Purée de betteraves et de carottes, 155
> Soupe aux carottes, tomates, chorizo
> et coriandre, 43

Cassis, 14, *Voir* Fruits et petits fruits

Céréales
> Barres santé à l'avoine, 106
> Biscuits à l'avoine et aux raisins, 105
> Croustillant à la rhubarbe, 148
> Croustillant aux abricots
> et aux pommes, 148
> Croustillant aux framboises
> et aux pommes, 148
> Croustillant aux fruits d'été, 148
> Croustillant aux mûres et aux pommes,
> 148
> Croustillants divers, 148
> Mélange pour croustillant à l'avoine,
> 147

Champignons
> Sauce aux champignons, 22

Cheddar, *Voir* Fromages

Chocolat
> Biscuits à l'orange et au chocolat, 105
> Carrés double chocolat express, 103
> Coulis de chocolat au rhum, 20
> Coulis de chocolat blanc, 20
> Coulis de chocolat noir, 20
> Mousse au chocolat noir, 139
> Muffins aux framboises et au chocolat
> blanc, 119
> Pain choco-moka avec glaçage
> au mascarpone, 114
> Pavlova au chocolat, 135
> Vodka au chocolat et à la menthe
> au lave-vaisselle, 137

Chorizo, *Voir* Saucisses et saucissons

Chou-fleur, 14
> Brocoli et chou-fleur gratinés
> avec jambon et tomates, 166

Congélation, 8-9
> Congélation et recongélation, 11
> Conservation et décongélation, 10
> Contenants et sacs, 10
> Cuisson d'aliments congelés, 11
> Décongélation, 11
> Dix bonnes raisons de congeler, 8
> Durées de conservation, 12
> Viandes et poissons crus, 12
> Aliments cuits, 12
> Fruits et légumes, 12
> Étiquetage, 10
> Règles d'or (congélation), 9

Conversion, Tableau, 170

Courge musquée, 14
> Cari de poulet et de courge musquée
> à la noix de coco, 66
> Poulet, pâtes, courge musquée
> et maïs (purée), 156
> Poulet, pommes de terre, petits pois
> et courge musquée (purée), 156
> Velouté de courge musquée, 48

Courgettes, 14
> Aiglefin, courgettes, épinards
> et pommes de terre (purée), 158
> Aiglefin, courgettes, maïs, fromage
> et pâtes (purée), 158
> Crêpes de courgettes et de maïs
> au saumon fumé, 56
> Croquettes de courgettes et
> de maïs avec saumon fumé, 56
> Soupe crémeuse aux courgettes,
> poireaux et parmesan, 44

Crabe, *Voir* Fruits de mer

Crème, *Voir* Produits laitiers

Crêpes
> Crêpes au poulet, au taleggio
> et aux épinards, 85
> Crêpes de courgettes et de maïs au
> saumon fumé, 56

Cresson, 14
> Soupe aux pois et au cresson, 46
> Tourte au crabe, au poisson fumé et au
> cresson, 94

Crevettes, *Voir* Fruits de mer
Cuisson
    Cuisson d'aliments congelés, 11

Décongélation, 11
Desserts
    Carrés double chocolat express, 103
    Chaussons aux fruits délicieux, 146
    Crème glacée à la vanille non barattée, 122
    Crème glacée au cassis et aux groseilles, 128
    Crème glacée aux fraises et à la meringue, 123
    Crème glacée caramel aux pacanes, 122
    Crème glacée croquante à la rhubarbe, 127
    Croustillant à la rhubarbe, 148
    Croustillant aux abricots et aux pommes, 148
    Croustillant aux framboises et aux pommes, 148
    Croustillant aux fruits d'été, 148
    Croustillant aux mûres et aux pommes, 148
    Flans aux fruits, 136
    Gâteau éponge à la crème au beurre, 107
    Gâteau imbibé au citron et à l'orange, 108
    Mélange pour croustillant à l'avoine, 147
    Meringues individuelles, 135
    Mini gâteaux aux bleuets, aux amandes et à l'orange, 111
    Mousse au chocolat noir, 139
    Muffins aux framboises et au chocolat blanc, 119
    Pain choco-moka avec glaçage au mascarpone, 114
    Pavlova au chocolat, 135
    Pavlova aux fraises et aux fruits de la passion, 135
    Pavlova aux grenades et aux framboises, 134
    Poudings aux fruits, 136
    Poudings caramel ultra collants aux bananes et aux pommes, 145
    Sucettes glacées, 140
    Tarte aux noix de Grenoble et à l'orange, 142

Tarte estivale à la frangipane, 144
Terrine au cassis et aux groseilles, 130

Épinards
    Aiglefin, courgettes, épinards et pommes de terre (purée), 158
    Aiglefin, maïs, épinards et pommes de terre (purée), 158
    Crêpes au poulet, au taleggio et aux épinards, 85
    Lasagne au bœuf et aux épinards, 98
    Pâtes aux épinards, aux petits pois et au fromage, 162

Fraises, 15, *Voir* Fruits et petits fruits
Framboises, 15, *Voir* Fruits et petits fruits
Fromages
    Aiglefin, brocoli, poireaux, fromage et pâtes (purée), 158
    Aiglefin, courgettes, maïs, fromage et pâtes (purée), 158
    Carrés au bacon et au cheddar, 113
    Crêpes au poulet, au taleggio et aux épinards, 85
    Pain choco-moka avec glaçage au mascarpone, 114
    Pâtes aux épinards, aux petits pois et au fromage (purée), 162
    Sauce à la ricotta, 91
    Sauce au fromage, 22, 163
    Soupe crémeuse aux courgettes, poireaux et parmesan, 44
    Tartelettes aux poireaux et au fromage, 58
Fruits de la passion, *Voir* Fruits et petits fruits
Fruits de mer
    Croquettes de crabe avec salade d'avocat et d'agrumes, 88
    Feuilletés de crevettes au tamarin, 61
    Petits pâtés au poisson, 69
    Ragoût de fruits de mer à la portugaise, 68
    Sauce aux crevettes, 22
    Soupe aux crevettes et aux nouilles, 71
    Tourte au crabe, au poisson fumé et au cresson, 94
Fruits et petits fruits
    Chaussons aux fruits délicieux, 146
    Crème glacée aux fraises et à la meringue, 125

Crème glacée au cassis et aux groseilles, 128
Croustillant aux framboises et aux pommes, 148
Croustillant aux fruits d'été, 148
Croustillant aux mûres et aux pommes, 148
Croustillants divers, 148
Flans aux fruits, 136
Muffins aux framboises et au chocolat blanc, 119
Poudings caramel ultra collants aux bananes et aux pommes, 145
Purée de poires et de mangues, 153
Purée de pommes et de mûres, 154
Scones aux bleuets, 112
Tarte aux noix, à l'orange et à la mélasse, 142
Tarte estivale à la frangipane, 144
Tartelettes de Noël, 116
Terrine au cassis et aux groseilles, 130
Pavlova aux fraises et aux fruits de la passion, 135
Pavlova aux grenades et aux framboises, 134
Vodka à la grenade, 137
Vodka aux fraises et à l'eau de rose, 137
Vodka thaï épicée, 137
Fruits (jus)
    Sucettes glacées, 140

Gâteaux, *Voir* Pains et pâtisseries
Gibier
    Terrine de gibier au poivre rose, 55
Grenade, *Voir* Fruits et petits fruits
Groseilles rouges, 15, *Voir* Fruits et petits fruits

Haricots, *Voir* Légumineuses

Jambon, *Voir* Viandes

Lait, *Voir* Produits laitiers
Lapin, *Voir* Gibier
Légumineuses
    Cassoulet de porc, 75
    Moussaka aux lentilles, 91
    Pâtes aux épinards, aux petits pois et au fromage, 162
    Poulet, pâtes, petits pois et carottes (purée), 156

Poulet, pommes de terre, petits pois
et courge musquée (purée), 156
Risotto aux asperges et aux petits pois,
74
Sauce aux légumes et aux lentilles, 91
Saucisses aux lentilles vertes du Puy,
74
Soupe aux pois et au cresson, 46
Lentilles, *Voir* Légumineuses
Lime, *Voir* Agrumes

Maïs, 15
Aiglefin, maïs, épinards et pommes
de terre (purée), 158
Aiglefin, courgettes, maïs, fromage
et pâtes (purée), 158
Crêpes de courgettes et de maïs
au saumon fumé, 56
Croquettes de courgettes et de maïs
avec saumon fumé, 56
Poulet, carottes, pommes de terre
et maïs (purée), 156
Poulet, pâtes, courge musquée et maïs
(purée), 156
Mascarpone, *Voir* Fromages
Morue, *Voir* Poissons
Muffins, *Voir* Pains et pâtisseries
Mûres, 15, *Voir* Fruits et petits fruits

Noix
Biscuits aux pistaches, 105
Biscuits miel et amandes, 105
Crème glacée caramel aux pacanes,
122
Mini gâteaux aux bleuets, aux amandes
et à l'orange, 111
Tarte aux noix, à l'orange
et à la mélasse, 142
Tarte estivale à la frangipane, 144
Noix de coco
Cari de poulet et de courge musquée
à la noix de coco, 66

Orange, *Voir* Agrumes

Pacanes, *Voir* Noix
Pain (ingrédient)
Chapelure, 23
Flans aux fruits, 136
Pain à l'ail, 38
Sauce à la mie de pain, 23

Pains et pâtisseries
Carrés double chocolat express, 103
Gâteau imbibé au citron et à l'orange,
108
Gâteau éponge à la crème au beurre,
107
Meringues individuelles, 135
Mini gâteaux aux bleuets, aux amandes
et à l'orange, 111
Muffins aux framboises et au chocolat
blanc, 119
Pain choco-moka avec glaçage
au mascarpone, 114
Poudings aux fruits, 136
Scones aux bleuets, 112
Scones aux raisins, 112
Pavlova au chocolat, 135
Pavlova aux fraises et aux fruits
de la passion, 135
Pavlova aux grenades
et aux framboises, 134
Parmesan, *Voir* Fromages
Patates douces
Double purée, 159
Purée de poivrons rouges et de patates
douces, 154
Pâtes
Aiglefin, brocoli, poireaux, fromage
et pâtes (purée), 158
Aiglefin, courgettes, maïs, fromage
et pâtes (purée), 158
Lasagne au bœuf et aux épinards, 98
Pâtes aux épinards, aux petits pois
et au fromage, 162
Pâtes océaniques, 163
Poulet, pâtes, courge musquée
et maïs (purée), 156
Poulet, pâtes, petits pois et carottes
(purée), 156
Pâtés, *Voir* Pâtés, tartes et tartelettes
Pâtés, tartes et tartelettes
Parfait au foie de volaille, 54
Pâté à la truite fumée, 54
Pâté au poulet et au jambon, 86
Pâté chinois (hachis Parmentier)
des grands jours, 93
Pâté de poisson aux légumes cachés,
169
Petits pâtés au poisson, 69
Tarte aux noix, à l'orange et
à la mélasse, 142

Tartelettes aux poireaux et au fromage,
58
Tartelettes de Noël, 116
Terrine de gibier au poivre rose, 55
Pistaches, *Voir* Noix
Pizza, 160
Poires, voir *Fruits*
Poireaux, 15
Aiglefin, brocoli, poireaux, fromage
et pâtes (purée), 158
Pommes de terre au fenouil
et aux poireaux, 84
Soupe crémeuse aux courgettes,
poireaux et parmesan, 44
Tartelettes aux poireaux et au fromage,
58
Pois, 15, *Voir aussi* Légumineuses
Poissons
Aiglefin, brocoli, poireaux, fromage
et pâtes (purée), 158
Aiglefin, courgettes, épinards
et pommes de terre (purée), 158
Aiglefin, courgettes, maïs, fromage
et pâtes (purée), 158
Aiglefin, maïs, épinards et pommes
de terre (purée), 158
Crêpes de courgettes et de maïs
au saumon fumé, 56
Croquettes de courgettes et de maïs
avec saumon fumé, 56
Pâté à la truite fumée, 54
Pâté de poisson aux légumes cachés,
169
Pâtes océaniques, 163
Petits pâtés au poisson, 69
Premier poisson quatre façons, 158
Soupe d'aiglefin fumé, 51
Tourte au crabe, au poisson fumé
et au cresson, 94
Poivrons, 15
Purée de poivrons rouges et de patates
douces, 154
Pommes, 15
Chaussons aux fruits délicieux, 146
Compote de pommes, 18
Croustillant aux abricots et
aux pommes, 148
Croustillant aux framboises et
aux pommes, 148
Croustillant aux fruits d'été, 148
Croustillant aux mûres et aux pommes,
148

Poudings caramel ultra collants aux
bananes et aux pommes, 145
Purée de pommes et de mûres, 154
Purée de pommes et de poires, 153
Pommes de terre, 15
Aiglefin, courgettes, épinards et
pommes de terre (purée), 158
Aiglefin, maïs, épinards et pommes
de terre (purée), 158
Double purée, 159
Pâté chinois (hachis Parmentier)
des grands jours, 93
Pommes de terre au
fenouil et aux poireaux, 84
Poulet, carottes, pommes de terre
et maïs (purée), 156
Poulet, pommes de terre, petits pois
et courge musquée (purée), 156
Purée de légumes, 169
Porc, *Voir* Viandes
Poulet, *Voir* Volailles
Produits laitiers
Crème anglaise, 30
Crème glacée à la vanille non barattée,
124
Crème glacée aux fraises et
à la meringue, 125
Crème glacée caramel aux pacanes,
122
Crème glacée croquante à la rhubarbe,
127
Crème glacée au cassis et aux
groseilles, 128
Sauce blanche passe-partout, 22
Sauce persillée, 22
Voir aussi Fromages
Pruneaux
Tajine d'agneau aux pruneaux, 83

Raisins
Biscuits à l'avoine et aux raisins, 105
Scones aux raisins, 112
Restes
Les meilleurs restes à congeler, 13
Rhubarbe, 15
Crème glacée croquante à la rhubarbe,
127
Croustillant à la rhubarbe, 148
Rhum
Sorbet mojito, 133
Ricotta, *Voir* Fromages
Riz et rissottos

Risotto aux asperges et aux petits pois,
74

Salades
Salade d'avocat et d'agrumes, 88
Sauces
Sauce à la mie de pain, 23
Sauce au fromage, 22, 163
Sauce aux champignons, 22
Sauce aux crevettes, 22
Sauce aux légumes et aux lentilles, 91
Sauce blanche passe-partout, 22
Sauce madère, 24
Sauce persillée, 22
Saucisses et saucissons
Poulet aux chorizos, poivrons et olives,
84
Roulés de saucisse à la moutarde
et aux graines de pavot, 52
Saucisses aux lentilles vertes du Puy,
74
Soupe aux carottes, tomates, chorizo
et coriandre, 43
Saumon, *Voir* Poissons
Scones, *Voir* Pains et pâtisseries
Soupes et veloutés
Soupe aux carottes, tomates, chorizo
et coriandre, 43
Soupe aux crevettes et aux nouilles, 71
Soupe aux pois et au cresson, 46
Soupe crémeuse aux courgettes,
poireaux et parmesan, 44
Soupe d'aiglefin fumé, 51
Velouté de courge musquée, 48

Taleggio, *Voir* Fromages
Tartes, *Voir* Pâtés, tartes et tartelettes
Tartelettes, *Voir* Pâtés, tartes et tartelettes
Thon, *Voir* Poissons
Tomates, 15
Gaspacho, 47
Soupe aux carottes, tomates, chorizo
et coriandre, 43
Sauce tomates de base, 33
Truite, *Voir* Poissons

Viandes
Bœuf braisé au vin rouge
et aux champignons, 99
Bœuf Wellington, 80
Brochettes d'agneau, 62
Brochettes de bœuf, 62

Brocoli et chou-fleur gratinés
avec jambon et tomates, 166
Cari d'agneau aromatique, 97
Carrés au bacon et au cheddar, 113
Cassoulet de porc, 75
Côtelettes de porc à la moutarde,
aux pommes et au cidre, 72
Épaule d'agneau au four à cuisson
lente, 92
Lasagne au bœuf et aux épinards, 98
Mélange de bœuf haché pour toutes
occasions, 34
Mini hamburgers glacés au miel, 164
Pâté au poulet et au jambon, 86
Pâté chinois (hachis Parmentier)
des grands jours, 93
Poitrine de porc avec fenouil
et échalotes, 76
Tajine d'agneau aux pruneaux, 83
Terrine de gibier au poivre rose, 55
Vodka
Vodka à la grenade, 137
Vodka au chocolat et à la menthe
au lave-vaisselle, 137
Vodka aux fraises et à l'eau de rose, 137
Vodka thaï épicée, 137
Vodkas aromatisées, 137
Volailles
Bouillon de poulet, 27
Cari de poulet et de courge musquée
à la noix de coco, 66
Crêpes au poulet, au taleggio
et aux épinards, 85
Parfait au foie de volaille, 54
Pâté au poulet et au jambon, 86
Poulet aux chorizos, poivrons et olives,
84
Poulet aux herbes et au vin blanc, 35
Poulet collant, 167
Poulet, carottes, pommes de terre
et maïs (purée), 156
Poulet, pâtes, courge musquée et maïs
(purée), 156
Poulet, pâtes, petits pois et carottes
(purée), 156
Poulet, pommes de terre, petits pois
et courge musquée (purée), 156
Premier poulet quatre façons, 156

Chez le même éditeur

100 recettes anti-migraines

100 recettes pour un corps sain

100 recettes pour un esprit sain

100 trucs pour bien maigrir en stimulant votre métabolisme

120 recettes anti-âge

Aimer la viande et en manger moins

Bien manger pour la vie

Bien manger une affaire de coeur

La cuisine détox

Du calcium dans votre assiette

En finir avec les brûlures d'estomac

Le grand livre de bébé gourmand

Les meilleures recettes à l'autocuiseur

Les meilleures recettes à la mijoteuse

Les meilleures recettes anti-cholestérol

Les meilleures recettes anti-ménopause

Les meilleures recettes au tofu

Les meilleures recettes avec fibres

Les meilleures recettes contre l'hypertension

Les meilleures recettes pendant une chimiothérapie ou une radiothérapie

Les meilleures recettes pour diabétiques

Les meilleures recettes pour prévenir le cancer de la prostate

Les meilleures recettes pour votre coeur

Les meilleures recettes sans gluten

Les meilleurs desserts pour diabétiques

Les meilleurs pains et desserts sans gluten

La passion des herbes

Les superaliments pour les bébés et les enfants

Manger cru

Manger de bon coeur

Oméga-3 : les meilleures recettes

Petits plats pour petits doigts

Soja santé

VG La nouvelle cuisine végétarienne

Remerciements

Je suis extrêmement reconnaissante envers ma famille et mes amis, qui ont eu la gentillesse de faire l'essai des recettes de ce livre : Katherine Coltart, Simon et Ness Baker, Harry Cox, Mel Clegg, Ems Bray, Mme Edgecombe, Gemma Pearce, Judy Snell, Andrea Eles, Isabel Sandison, Katie James, Marcia Ritchie, Clare Evelyn, Tania MacCallum, Lesley Sandison, Soph Martin, Jane Brooke, Els Rooth, Anna Greenhalgh, Alex Nolon, Claire Davies, Anna Broome, Jane Wiggs, Lucy Urquhart, Rebecca Bone, Ali Palmer, Katherine McNamara, Katie Callard, Debbie Sandison et Gill Head. Vous êtes tous merveilleux !

Une fois encore, j'adresse des remerciements particuliers à mon frère, ma mère et ma belle-mère, qui ont discuté de ce livre avec moi au téléphone, ont accepté de partager leurs recettes et ont tout laissé tomber pour venir m'aider à cuisiner ou à prendre soin des enfants. Un gros gros merci !

Merci également à Georgie Sangiorgio et Claire Davies, qui ont revu toutes les recettes et vérifié le texte, m'ont fait des commentaires et m'ont aidée à demeurer organisée.

Catharine, Estella, Jenny, Victoria, Emma et le reste de l'équipe de Kyle Cathie, vous êtes formidables ! Vous avez accueilli mes multiples questions et caprices, si bizarres soient-ils, avec la plus grande patience, tout au long de la préparation de ce livre et de mes publications précédentes.

Kyle, je te suis énormément reconnaissante de m'avoir donné une telle chance, et j'espère que tu es fière du résultat.

Enfin, merci à A, W et J, pour vos encouragements, votre patience et votre soutien. Vous êtes les meilleurs! Merci d'avoir grignoté et goûté les plats de ce livre, même à l'étape des essais préliminaires. Au moins, c'était un menu plus varié que de la confiture !